Harlan Coben

Né en 1962, Harlan Coben vit dans le New Jersey avec sa femme et leurs quatre enfants. Diplômé en sciences politiques du Amherst College, il a rencontré un succès immédiat dès ses premiers romans, tant auprès de la critique que du public. Il est le premier écrivain à avoir reçu le Edgar Award, le Shamus Award et le Anthony Award, les trois prix majeurs de la littérature à suspense aux États-Unis. Il est notamment l'auteur de *Ne le dis à personne…* (Belfond, 2002) qui a remporté le prix des Lectrices de *ELLE* et a été adapté avec succès au cinéma par Guillaume Canet. Il poursuit l'écriture avec plus d'une vingtaine d'ouvrages, dont récemment *Sous haute tension* (2012), *Ne t'éloigne pas* (2013), *Six ans déjà* (2014) et *Tu me manques* (2015), publiés chez Belfond. Ses livres, parus en quarante langues à travers le monde, ont été numéro un des meilleures ventes dans plus d'une douzaine de pays.

Son ouvrage *Une chance de trop* (2005) fera l'objet d'une adaptation sur TF1 avec, entre autres, Alexandra Lamy et Pascal Elbé.

À découvert (2012), *À quelques secondes près* (2013) et *À toute épreuve* (2014), publiés chez Fleuve Éditions, mettent en scène le neveu de Myron, Mickey Bolitar.

Retrouvez toute l'ac
www.har

D1516110

À TOUTE ÉPREUVE

HARLAN COBEN

À TOUTE ÉPREUVE

LIVRE III

Traduit de l'anglais (États-Unis)
par Cécile Arnaud

Titre original :
FOUND

Pocket, une marque d'Univers Poche,
est un éditeur qui s'engage pour la préservation
de son environnement et qui utilise du papier fabriqué
à partir de bois provenant de forêts
gérées de manière responsable.

2014, Harlan Coben. Tous droits réservés.
© 2014, Fleuve Éditions, département d'Univers Poche,
pour la traduction française.
ISBN : 978-2-266-26230-9

Aux garçons du bâtiment A

Brad Bradbeer
Curk Burgess
Jon Carlson
Larry Vitale

Quatre hommes qui ont vécu avec moi. Et survécu.

1

Huit mois plus tôt, j'avais assisté à l'inhumation du cercueil de mon père. Aujourd'hui, j'étais témoin de son exhumation.

Mon oncle Myron se tenait à côté de moi, les joues sillonnées de larmes. Son frère se trouvait dans ce cercueil – non, on barre, son frère était *censé* se trouver dans ce cercueil –, un frère *prétendument* mort huit mois auparavant, mais que Myron n'avait pas vu depuis quinze ans.

Il n'était pas encore 6 heures du matin, et le soleil se levait à peine sur le cimetière B'nai Jeshurun de Los Angeles. Pourquoi étions-nous là si tôt ? Comme nous l'avaient expliqué les autorités, l'exhumation d'un corps est une opération très éprouvante qui doit avoir lieu à un moment le plus intime possible. Ce qui laissait le choix entre tard le soir (euh, non merci) et très tôt le matin.

Myron a reniflé et s'est essuyé les yeux. Craignant qu'il ne me passe un bras autour des épaules, j'ai fait un pas de côté et baissé la tête. Huit mois plus tôt, l'avenir s'annonçait radieux. Après avoir longtemps voyagé à l'étranger, mes parents avaient décidé de retourner aux États-Unis, afin qu'à mon entrée en seconde, au lycée, je puisse enfin me créer de vraies racines et me faire de vrais amis.

Il avait suffi d'un instant pour que tout soit réduit à néant... C'était une leçon que j'avais apprise à mes dépens : notre univers ne se décompose pas lentement. Il ne se disloque pas petit à petit. Il peut voler en éclats en un claquement de doigts.

Que s'était-il passé ?

Un accident de voiture.

Mon père était mort, ma mère s'était effondrée, et moi j'avais dû m'installer dans le New Jersey chez mon oncle, Myron Bolitar. Huit mois plus tôt, maman et moi étions venus dans ce cimetière pour enterrer l'homme que nous aimions plus que tout. Nous avions prononcé les prières d'usage et regardé le cercueil descendre dans la fosse. J'avais même lancé une poignée de terre sacramentelle dans la tombe de mon père.

Ç'avait été le pire moment de ma vie.

— Reculez-vous, s'il vous plaît.

C'était un des ouvriers. Comment appelle-t-on les gens qui travaillent dans les cimetières ? « Gardiens » paraît trop fade. « Fossoyeurs », trop sinistre. Après avoir retiré le plus gros de la terre au bulldozer, les deux hommes en bleu de travail – appelons-les des gardiens – terminaient à la pelle.

D'un revers de main, Myron a essuyé les larmes sur son visage.

— Ça va, Mickey ?

J'ai hoché la tête. C'était lui qui pleurait, pas moi.

Un homme avec un nœud papillon prenait des notes sur un porte-bloc. Les gardiens ont fini de creuser et lancé leurs pelles hors du trou. Elles ont atterri dans un bruit métallique.

— C'est bon ! a crié l'un d'eux. On l'attache.

Ils ont commencé à soulever le cercueil pour faire passer des sangles en Nylon en dessous. Je les entendais haleter dans l'effort. L'opération achevée, ils sont remontés et ont fait signe au grutier. Celui-ci a hoché la tête et actionné une manette.

Le cercueil de mon père est sorti de terre.

L'exhumation avait été difficile à organiser. Il y a tant de règlements, de normes et de procédures à suivre. J'ignore comment Myron avait obtenu l'autorisation. Je sais juste qu'un de ses amis haut placé était intervenu. La mère de ma meilleure amie, qui n'était autre que la star de cinéma Angelica Wyatt, avait peut-être aussi usé de son influence. Les détails importent peu. L'important, c'est que j'étais sur le point de découvrir la vérité.

Vous vous demandez sûrement pourquoi nous exhumions le cercueil de mon père.

La réponse est simple : je voulais être sûr qu'il était dedans.

Non, je ne crois pas qu'il y ait eu une erreur administrative, qu'il ait été placé dans le mauvais cercueil ou enterré au mauvais endroit. Et je ne crois pas non plus que mon père soit un vampire ou un fantôme, ou quoi que ce soit de ce genre.

Je soupçonnais – si invraisemblable que cela puisse paraître – que mon père était toujours en vie.

Invraisemblable, parce que j'étais avec lui dans la voiture au moment de l'accident. Je l'avais vu mourir. J'avais vu l'ambulancier secouer la tête et emporter son corps inerte sur une civière.

Bien sûr, j'avais aussi vu ce même ambulancier essayer de me tuer deux jours plus tôt.

— Doucement, doucement.

La flèche de la grue a commencé à pivoter vers la gauche, avant de faire descendre le cercueil sur le plateau d'un pick-up. Le cercueil était en pin, tout simple. C'est ce que mon père aurait voulu, j'en étais sûr. Bien que non croyant, il était très attaché aux traditions.

Une fois le cercueil à l'arrière du véhicule, le grutier a coupé le moteur de son engin, sauté de la cabine et s'est dépêché d'aller rejoindre l'homme au nœud papillon. Il lui a glissé un mot à l'oreille. Nœud papillon lui a lancé un regard sévère. Le grutier a haussé les épaules et s'est éloigné.

— Qu'est-ce qui se passe ? ai-je demandé.

— Aucune idée, a répondu Myron.

Nous nous sommes approchés du pick-up. C'était un peu étrange. Mon oncle et moi sommes très grands : nous frôlons tous les deux le mètre quatre-vingt-quinze. Si le nom de Myron Bolitar vous dit quelque chose, c'est que vous êtes sans doute un amateur de basket. Quand il était à Duke (bien avant ma naissance), il figurait parmi les meilleurs joueurs universitaires du pays, puis il avait été choisi au premier tour du *draft* par les Boston Celtics. Au cours du premier match de la présaison, alors qu'il venait d'endosser le mythique maillot vert, un membre de l'équipe adverse nommé Burt Wesson l'avait percuté, lui bousillant le genou et mettant un terme à sa carrière avant même qu'elle ait commencé. Moi qui joue aussi au basket – et je compte bien surpasser mon oncle dans ce domaine –, je me demande souvent ce qu'il a dû ressentir au moment où ses espoirs étaient à portée de main, ses rêves sur le point de se réaliser… et, vlan ! qu'il avait tout perdu.

En contemplant le cercueil, j'ai songé que je le savais peut-être déjà.

Je vous l'ai dit, notre univers entier peut basculer en un instant.

Myron, bien sûr, ne croyait pas que mon père puisse être encore en vie. Il avait accepté l'exhumation parce que je le lui avais demandé – je l'avais supplié, même – et qu'il essayait « d'établir le contact » avec moi en accédant à ma requête.

Le cercueil en pin paraissait pourri, fragile, et l'on avait presque l'impression qu'il allait se décomposer si on le regardait trop longtemps. La réponse se trouvait là, à un mètre de moi. Soit mon père était dans cette boîte, soit il n'y était pas. C'était aussi simple que ça.

Je me suis rapproché un peu, espérant ressentir quelque chose. Si mon père avait été là-dedans, n'aurais-je pas dû… je ne sais pas… éprouver quelque chose ? Comme le contact d'une main froide sur ma nuque ou un frisson le long de ma colonne vertébrale ?

Je n'ai senti ni l'un ni l'autre.

Donc, papa n'était peut-être pas là.

J'ai posé une main sur le cercueil.

— Qu'est-ce que vous faites ?

C'était Nœud papillon. Il s'était présenté à nous comme l'inspecteur sanitaire et environnemental, mais je n'avais qu'une vague idée de ce que cela signifiait.

— Je voulais seulement…

Il est venu se placer entre le cercueil de mon père et moi.

— Je vous ai expliqué le protocole, n'est-ce pas ?

— Oui, enfin…

— Pour des raisons à la fois de sécurité publique et de dignité, aucun cercueil ne peut être ouvert sur place.

On aurait dit qu'il lisait à voix haute l'énoncé d'un sujet d'examen.

— Ce véhicule municipal va transporter le cercueil de votre père au cabinet du médecin légiste, où il sera ouvert par un professionnel expérimenté. Mon travail consiste à m'assurer que nous avons ouvert la bonne tombe, que le cercueil correspond bien à l'état civil de la personne exhumée, que toutes les précautions sanitaires ont été prises et, enfin, que le transport se déroule sans heurt et avec tout le respect dû à la dépouille. Donc, si vous permettez…

J'ai regardé Myron, qui a hoché la tête. Lentement, j'ai retiré ma main du bois sale et humide et fait un pas en arrière.

— Merci, a dit Nœud papillon.

Le grutier parlait à voix basse à l'un des gardiens. Ce dernier a blêmi. Ça ne me plaisait pas. Pas du tout, même.

— Il y a un problème ? ai-je demandé à Nœud papillon.

— Comment ça ?

— C'est quoi, toutes ces messes basses ?

L'homme a contemplé son porte-bloc comme si la réponse s'y trouvait.

— Eh bien ? a insisté Myron.

— Je n'ai rien à déclarer pour le moment.

— Mais encore ?

Le gardien, le visage toujours livide, a commencé à fixer le cercueil avec des lanières en Nylon.

— Le cercueil sera au cabinet du médecin légiste, a

repris Nœud papillon. C'est tout ce que je peux vous dire à ce stade.

Il s'est approché de la cabine du pick-up et a pris place sur le siège passager. Je me suis précipité vers sa vitre alors que le conducteur allumait le moteur.

— Quand est-ce qu'il va l'ouvrir ? ai-je demandé.

Il a de nouveau consulté son porte-bloc, mais j'ai eu l'impression que c'était juste pour donner le change et qu'il connaissait pertinemment la réponse.

— Maintenant, a-t-il répondu.

2

Nous étions dans les bureaux du légiste à attendre l'ouverture du cercueil quand mon portable a sonné.

Mon premier réflexe a été de l'ignorer. D'un moment à l'autre, j'allais obtenir la réponse à la question cruciale de ma vie – mon père était-il mort ou vivant ?

Il n'y avait pas d'urgence à prendre un appel, si ?

D'un autre côté, cette attente était stressante, et un coup de fil me fournirait peut-être une distraction bienvenue. Sur l'écran, j'ai vu s'afficher le nom d'Ema, ma meilleure amie. En réalité, elle s'appelle Emma, mais comme elle s'habille tout en noir et porte un tas de tatouages, elle passait pour une « emo », et, un jour, un gros malin (façon de parler) avait combiné les mots Emma et emo pour la surnommer Ema.

Le surnom était resté.

Ma première pensée a été : *Spoon... son état s'est aggravé !*

Myron s'est penché par-dessus mon épaule en désignant l'écran.

— C'est la fille d'Angelica Wyatt ?

De quoi je me mêle ?

— Ouais.

— Vous êtes devenus très proches, tous les deux.
Non mais, de quoi je me mêle ?
— Ouais.

Là, j'ai hésité. Je pouvais m'écarter de mon oncle indiscret pour répondre. Même s'il lui arrivait d'être un peu bouché, il comprendrait le message. J'ai donc brandi le téléphone en disant :

— Euh, tu permets ?
— Pardon ? Ah, oui, bien sûr. Désolé.

J'ai appuyé sur « répondre ».

— Salut.
— Salut.

Je vous ai dit qu'Ema était ma meilleure amie. Nous ne nous connaissions que depuis quelques semaines, mais ç'avait été des semaines de folie, des semaines exaltantes et dangereuses, où nous avions mesuré la valeur de la vie en risquant de la perdre. Des gens peuvent être amis pendant leur existence entière sans jamais nouer des liens aussi forts que ceux qui s'étaient tissés entre nous.

— Des nouvelles de… euh… ?

Ema ne savait pas comment finir cette phrase. Moi non plus.

— On en aura d'une minute à l'autre, ai-je dit. Je suis dans les locaux du médecin légiste.

— Oh, désolée, je n'aurais pas dû te déranger.

L'intonation de sa voix m'a alerté. J'ai senti mon cœur remonter dans ma gorge.

— Qu'est-ce qui se passe ? C'est Spoon ?

Spoon était mon deuxième meilleur ami, si je puis dire. La dernière fois que je l'avais vu, il était couché sur un lit d'hôpital. Il avait pris une balle en nous sauvant la vie et risquait de ne jamais retrouver l'usage de ses jambes. Je me forçais sans arrêt à ne pas y penser. Et j'y pensais sans arrêt.

— Non, a-t-elle répondu.

— Tu as eu de ses nouvelles ?

— Non. Ses parents ne veulent pas que j'aille le voir non plus.

Le père et la mère de Spoon m'avaient interdit l'accès à sa chambre. Ils me jugeaient responsable de ce qui s'était passé. Moi aussi.

— Alors, qu'est-ce qui ne va pas ?

— Écoute, je n'aurais pas dû t'appeler. C'est pas important. Vraiment.

Ce qui m'a fait comprendre que c'était important. Vraiment.

Je m'apprêtais à insister quand Nœud papillon est entré dans la pièce.

— Je dois y aller, lui ai-je dit. Je te rappelle dès que je peux.

Et j'ai raccroché. Myron et moi nous sommes approchés de Nœud papillon. Tête baissée, il prenait des notes.

— Alors ? a demandé Myron.

— Nous devrions recevoir les résultats dans quelques instants.

J'ai pris conscience que je retenais mon souffle, et j'ai expiré avant de demander :

— C'était quoi, toutes ces cachotteries ?

— Pardon ?

— Au cimetière. Entre les types qui creusaient et celui qui conduisait la grue ?

— Oh, ça…

J'ai attendu la suite.

Nœud papillon s'est raclé la gorge.

— Les gardiens du cimetière ont remarqué que le cercueil semblait un peu...

Il a levé les yeux, comme s'il cherchait le mot juste. Dix secondes ont passé, qui m'ont paru une heure.

— Semblé un peu comment ? ai-je demandé.

— Hum... léger.

— Léger ? a répété Myron.

— Oui. Mais ils se trompaient.

Je n'y comprenais rien.

— Ils se trompaient sur le poids ?

— Oui.

— C'est-à-dire ?

Il a levé son porte-bloc comme pour parer une attaque.

— C'est tout ce que je peux vous révéler tant que je n'ai pas les papiers nécessaires.

— Quels papiers nécessaires ?

— Je dois vous laisser, maintenant.

— Mais...

La porte s'est ouverte derrière moi, livrant passage à une femme en tailleur.

— Le médecin légiste a terminé, a-t-elle annoncé.

— Alors ?

Elle a regardé à gauche et à droite, comme si elle craignait la présence d'oreilles indiscrètes.

— Suivez-moi, s'il vous plaît. Le médecin légiste est prêt à vous recevoir.

3

— Merci d'avoir patienté. Je suis le Dr Botnick.

Je m'attendais à ce que le légiste ait un air macabre ou inquiétant. Normal, quand on y pense. Ces gens-là passent leurs journées avec les morts. Ils les ouvrent et les dissèquent pour essayer de découvrir ce qui les a tués.

Mais le Dr Botnick était une petite dame aux cheveux roux tirant sur l'orange, dont le sourire joyeux semblait un peu déplacé vu les circonstances. Son bureau était complètement impersonnel : pas la moindre décoration ni la moindre photo de famille pour l'égayer. Enfin, dans une pièce où la mort est omniprésente, a-t-on envie de regarder le sourire de ses proches ? Son bureau était nu, à l'exception d'un sous-main de cuir brun, d'une bannette à courrier assortie (vide), d'un porte-mémo, d'un pot à crayons (deux stylos, un crayon) et d'un coupe-papier. Il y avait des diplômes accrochés aux murs, et rien d'autre.

Elle nous souriait toujours. J'ai lancé un coup d'œil à Myron, qui paraissait déconcerté.

— Je suis désolée, a-t-elle dit. Je ne suis pas très à l'aise avec les gens. Il est vrai qu'aucun de mes patients ne s'en plaint.

Là-dessus, elle a éclaté de rire. Pas moi. Ni Myron. Une fois calmée, elle s'est éclairci la voix pour demander :

— Vous avez compris ?

— J'ai compris.

— Parce que mes patients sont morts.

— J'avais compris.

— C'était déplacé, je l'avoue. Navrée. Je suis un peu gênée. La situation est inhabituelle.

J'ai senti mon pouls accélérer.

— Qui êtes-vous ? a-t-elle repris, s'adressant à Myron.

— Myron Bolitar.

— Vous devez donc être le frère de Brad Bolitar ?

— Exact.

Puis elle a posé les yeux sur moi.

— Et vous devez être son fils ?

— C'est ça.

Elle a écrit quelque chose sur une feuille de papier.

— Pourriez-vous m'indiquer la cause de la mort ?

— Un accident de voiture, ai-je répondu.

— Je vois. (Elle a griffonné autre chose.) D'ordinaire, lorsque les gens nous demandent d'exhumer un corps, c'est qu'ils souhaitent changer de cimetière. Ce n'est pas le cas ici, n'est-ce pas ?

Myron et moi avons confirmé.

— Où est Kitty Hammer Bolitar ?

— Elle n'est pas là, a répondu Myron.

— Oui, je le vois bien. Mais où est-elle ?

— Elle est souffrante.

Le Dr Botnick a froncé les sourcils.

— D'après le dossier, Kitty Hammer Bolitar est l'épouse et, à ce titre, la plus proche parente. Où est-elle ? Elle devrait se trouver avec nous.

J'ai fini par lâcher :

— Elle est dans un centre de désintoxication dans le New Jersey.

Une fois encore, la légiste a croisé mon regard. Dans le sien, j'ai vu de la bienveillance, et peut-être aussi un peu de pitié.

— Il y a eu une joueuse de tennis célèbre du nom de Kitty Hammer. Je l'ai vue jouer à l'US Open alors qu'elle n'avait que quinze ans.

J'ai eu l'impression qu'un poids m'écrasait la poitrine.

— Ça n'est pas le propos, l'a coupée Myron.

Oui, c'était bien ma mère. À une époque, Kitty Hammer Bolitar avait failli devenir l'une des meilleures joueuses de tennis de tous les temps, aux côtés de Billie Jean King et des sœurs Williams. Puis un événement était survenu, qui avait mis un terme à sa carrière : elle était tombée enceinte.

De moi.

— Vous avez raison, a dit le Dr Botnick. Toutes mes excuses.

— Écoutez, a repris Myron, est-ce que son corps se trouve à l'intérieur, oui ou non ?

J'ai observé le visage de la légiste à la recherche d'un indice, mais elle restait impassible. Elle aurait fait une redoutable joueuse de poker.

— C'est pour ça que vous êtes ici ? a-t-elle demandé en s'adressant à moi.

— Oui.

— Pour être sûr que votre père se trouve dans le bon cercueil ?

J'ai de nouveau acquiescé.

— Qu'est-ce qui vous fait penser qu'il pourrait ne pas y être ?

Comment lui expliquer ?

À la façon dont elle me regardait, le Dr Botnick semblait vraiment désireuse de m'aider. Mais même dans ma tête, ça paraissait dingue. Je ne pouvais pas lui parler de la femme chauve-souris, qui était peut-être Lizzy Sobek, l'héroïque survivante de l'Holocauste que tout le monde croyait morte depuis la Seconde Guerre mondiale. Je ne pouvais pas lui parler du refuge Abeona, la société secrète qui sauvait des enfants, ni lui raconter comment Ema, Spoon et moi avions risqué notre vie en son nom. Je ne pouvais pas non plus lui parler du mystérieux ambulancier aux cheveux blond vénitien et aux yeux verts, celui qui avait emporté le corps de mon père après l'accident et qui, huit mois plus tard, avait essayé de me tuer.

Qui croirait à des délires pareils ?

Myron m'a vu me trémousser sur ma chaise.

— Nos raisons sont confidentielles, a-t-il rétorqué, tentant de voler à mon secours. Pourriez-vous, s'il vous plaît, nous dire simplement ce que vous avez trouvé ?

Le Dr Botnick s'est mise à mordiller l'extrémité de son stylo. Nous avons attendu.

Au bout d'un moment, Myron a fait une nouvelle tentative :

— Mon frère est-il dans ce cercueil, oui ou non ?

Elle a reposé son stylo sur le bureau et s'est levée.

— Pourquoi ne pas venir avec moi pour le découvrir par vous-mêmes ?

4

Nous avons parcouru un long couloir.

Le Dr Botnick ouvrait le chemin. À mesure que nous avancions, le corridor semblait rétrécir, comme si les murs carrelés se refermaient sur nous. Je m'apprêtais à me placer derrière Myron, pour ne former qu'une seule file, quand la légiste s'est arrêtée devant une vitre.

— Attendez ici, s'il vous plaît.

Elle a entrouvert une porte et passé la tête dans l'embrasure.

— C'est bon ?

À l'intérieur, une voix a répondu :

— Donnez-moi deux secondes.

Le Dr Botnick a refermé la porte. La vitre était épaisse et recouverte d'un grillage. Un store nous empêchait de voir ce qui se trouvait de l'autre côté.

— Vous êtes prêts ? a demandé le Dr Botnick.

Je tremblais. Le moment était venu. On y était. J'ai hoché la tête. Myron a répondu « Oui ».

Le store s'est ouvert lentement, tel un rideau de théâtre. Quand j'ai vu l'intérieur de la pièce, ma tête s'est mise à bourdonner comme si j'avais un coquillage collé sur chaque oreille. L'espace d'un instant, personne n'a bougé. Personne n'a parlé.

— Qu'est-ce que ça signifie ?

C'était la voix de Myron. Là, devant nous, il y avait une civière. Et, sur la civière, se trouvait une urne.

Le Dr Botnick a posé une main sur mon épaule.

— Votre père a été incinéré. Ses cendres ont été placées dans cette urne et enterrées. Ce n'est pas habituel, mais cela arrive parfois.

— Vous êtes en train de nous dire qu'il n'y avait que des cendres dans ce cercueil ? a demandé Myron.

— Oui.

— L'ADN, ai-je dit.

— Pardon ?

— Pouvez-vous faire un test ADN sur les cendres ?

— Pourquoi ferais-je une chose pareille ?

— Pour confirmer que ce sont bien celles de mon père.

— Pour confirmer… (Elle a secoué la tête.) Cette technologie n'existe pas, désolée.

J'ai regardé Myron. J'avais les larmes aux yeux.

— Tu vois bien !

— Voir quoi ?

— Il est en vie.

Myron est devenu livide. Du coin de l'œil, j'ai vu Nœud papillon qui venait vers nous dans le couloir.

— Mickey… a commencé Myron.

— Quelqu'un cherche à dissimuler ses traces. Nous ne voulions pas l'incinérer.

— Je regrette, mais c'est faux.

C'était Nœud papillon. Il tenait une feuille de papier.

— Qu'est-ce que c'est que ça ? ai-je demandé.

— C'est l'autorisation légale de faire incinérer le

corps de Brad Bolitar selon la réglementation de l'État de Californie. Tout est en ordre, avec la signature certifiée du plus proche parent.

Myron a tendu la main pour attraper la feuille, mais j'ai été plus rapide.

Le document avait été signé par ma mère.

Je sentais Myron derrière mon épaule.

Kitty Hammer Bolitar avait signé de nombreux autographes au cours de sa carrière de joueuse de tennis. Son paraphe était assez reconnaissable, avec le K géant et la boucle sur le côté droit du H. Les deux étaient là.

— C'est un faux ! ai-je crié, même si ça n'en avait pas l'air. C'est forcément un faux !

Tous me regardaient comme si un troisième bras m'avait poussé au milieu du front.

— Le document est certifié, a déclaré Nœud papillon. Ce qui signifie qu'une personne indépendante a vu votre mère signer et en a témoigné.

J'ai secoué la tête.

— Vous ne comprenez pas...

Il m'a repris la feuille.

— Je suis désolé, a-t-il dit. Nous ne pouvons rien faire de plus pour vous.

5

C'était une impasse.

Assis dans l'aérogare, nous attendions le vol qui devait nous ramener chez nous. Sourcils froncés, Myron contemplait l'écran de son smartphone avec un air un peu trop concentré.

— Mickey ?

Je l'ai regardé.

— Tu ne crois pas qu'il est temps de me dire ce qui se passe ?

C'était vrai. Myron avait le droit de savoir. Il avait répondu présent et s'était mis en quatre pour m'aider. D'une certaine manière, il avait mérité ma confiance. Mais il y avait d'autres éléments à prendre en compte. Pour commencer, les membres du refuge Abeona avaient insisté plusieurs fois pour que je ne lui parle pas d'eux. Je ne pouvais pas ignorer leur mise en garde.

Deuxièmement – et c'était le point clé depuis le début –, je tenais toujours Myron pour responsable de ce qui était arrivé à mes parents. Quand ma mère était tombée enceinte de moi, il avait très mal réagi. Il n'avait aucune confiance en elle. Mon père et lui s'étaient violemment disputés, et mes parents avaient fini par fuir à l'étranger, pour n'en revenir que de longues années plus tard... Résultat : mon père avait eu un accident « mortel », et ma mère se retrouvait enfermée dans un centre de désintoxication.

Myron attendait ma réponse. Je me demandais comment dire « non » quand je me suis souvenu que je devais rappeler Ema. J'ai levé mon portable en disant : « Il faut que je réponde », alors que le téléphone n'avait même pas sonné.

Je me suis éloigné de la porte d'embarquement et j'ai appuyé sur la touche de raccourci correspondant au numéro d'Ema. Elle a décroché immédiatement.

— Alors ? a-t-elle demandé.

— Alors rien.

— Comment ça ? Je croyais qu'ils devaient ouvrir le cercueil.

— Ils l'ont fait.

Je lui ai expliqué l'histoire de la crémation. Comme toujours, elle m'a laissé parler sans m'interrompre. Ema faisait partie de ces gens doués d'une qualité d'écoute extraordinaire. Elle se concentrait sur votre visage. Ses yeux ne filaient pas dans toutes les directions. Elle ne hochait pas la tête au mauvais moment. Même en cet instant, au téléphone, je sentais cette concentration.

— Et tu es sûr que c'est sa signature ?

— En tout cas, ça y ressemble beaucoup.

— Mais ça pourrait être une imitation ?

— Ça m'étonnerait. Apparemment, elle a signé devant témoin. D'un autre côté...

— Quoi ?

— Après la mort de mon père… enfin… c'est à cette période-là qu'elle a plongé.

— Elle a commencé à prendre de la drogue ?

— Oui, ai-je répondu, alors que tout me revenait. Elle était tellement mal… Je ne vois pas comment elle aurait pu prendre une décision pareille.

— Et maintenant ?

— On rentre. Je ne veux pas rater mon entraînement de basket.

Je sais ce que vous pensez. Qui se préoccupe d'un entraînement de basket dans de telles circonstances ? Réponse : moi. Ça peut paraître tordu. Mais, même à ce moment-là, ou peut-être justement à ce moment-là, j'avais besoin que le basket reste une priorité. J'avais besoin de me retrouver sur le terrain. C'était le seul endroit où je me sentais bien, où je m'échappais, et, quoi qu'il se passe autour de moi, j'avais hâte d'y être.

— Du nouveau sur l'état de Spoon ? ai-je demandé.

— Non.

— Et Rachel ?

Silence.

J'ai attendu. Parler de Rachel était peut-être une erreur. Elle faisait partie de notre groupe, bien qu'elle soit sans doute la plus belle fille du lycée et l'une des plus populaires, et donc qu'elle ne semblait pas avoir grand-chose en commun avec nous.

— Je suis sûre qu'elle s'en sort très bien, a répondu Ema d'un ton cinglant comme une porte qui claque.

J'allais devoir joindre Rachel à mon retour. J'avais lâché ma bombe – une bombe assez puissante pour bouleverser sa vie –, puis je m'étais envolé pour Los Angeles. Je ne pouvais pas en rester là.

— Alors, qu'est-ce que tu voulais me dire, tout à l'heure ?

— Ça peut attendre ton retour.

— Parle-moi, Ema, j'ai besoin de distraction.

Elle a pris une profonde inspiration. Je l'imaginais, assise toute seule dans ce grand manoir isolé où elle vivait.

— Pourquoi nous ? a-t-elle demandé.

Je comprenais le sens de sa question. Rien dans cette histoire n'était arrivé par hasard. Une société secrète nommée « le refuge Abeona » nous avait plus ou moins recrutés Ema, Spoon, Rachel et moi, pour participer au sauvetage d'enfants et d'adolescents. Cela n'avait jamais été clairement formulé. Nous n'avions rien demandé, et eux n'étaient pas venus nous chercher à proprement parler. C'était juste… arrivé.

— Je n'arrête pas de me poser la même question, ai-je dit.

— Et ?

— Je ne sais pas.

— Il y a forcément une raison. D'abord Ashley, ensuite Rachel, et maintenant…

— Maintenant quoi ?

— Quelqu'un d'autre a disparu, a-t-elle dit.

J'ai serré plus fort mon téléphone.

— Qui ?

— Tu ne le connais pas.

C'est idiot, mais je croyais connaître tous les gens qu'Ema connaissait. Peut-être parce qu'elle avait toujours joué à la perfection le rôle de la paria solitaire. Au lycée, les autres se moquaient d'elle à cause de son poids et de ses tenues gothiques. Au déjeuner, elle s'asseyait toujours seule à la cafétéria. Elle arborait sa mine renfrognée comme un étendard.

— Mais toi, si ?

— Oui.

— C'est qui ?

— En fait… c'est plus ou moins mon petit ami.

6

Franchement, je m'attendais à tout sauf à ça.

Ema avait un petit ami, et je n'étais pas au courant ? Comment avait-elle pu me cacher un truc pareil ? Enfin, qu'on se comprenne bien : je trouvais ça super. Ema est une fille géniale, qui mérite de sortir avec quelqu'un.

Mais alors, pourquoi la nouvelle m'agaçait-elle autant ?

Parce qu'on se racontait tout, pas vrai ? Quoique, maintenant, j'avais des doutes. Moi, je lui racontais tout, mais c'était peut-être à sens unique. Manifestement, Ema n'avait pas été aussi franche avec moi.

Comment avait-elle pu omettre un détail pareil ?

D'un autre côté, lui avais-je parlé de Rachel et moi et de la possibilité qu'il y ait un petit quelque chose entre nous ?

Non.

Pourquoi ? Si Ema était seulement une amie, pourquoi ne lui avais-je pas parlé de mes sentiments pour Rachel ?

— Ça va ? m'a demandé Myron.

Nous avions embarqué et nous nous trouvions

recroquevillés l'un à côté de l'autre au dernier rang de l'avion. En classe économique, l'espace pour les jambes est fait pour des gens mesurant soixante centimètres de moins que nous.

— Ça va.

— Qu'est-ce qui se passe, maintenant ?

— Qu'est-ce que tu veux dire ?

— Tu m'as demandé de t'aider à obtenir l'autorisation d'exhumer le cercueil de ton père, non ?

— Si.

Myron a voulu hausser les épaules, mais le siège était trop étroit pour le lui permettre.

— Maintenant que ça a été fait, qu'est-ce que tu envisages ?

Je m'étais posé la même question, bien sûr.

— Je ne sais pas encore.

Dès l'atterrissage, j'ai rappelé Ema. Pas de réponse. J'ai tenté de joindre Rachel, sans plus de succès. Je leur ai envoyé un SMS pour leur dire que j'étais rentré dans le New Jersey. Puis j'ai appelé l'hôpital pour parler à Spoon, mais la réceptionniste n'a pas voulu me le passer : aucun appel autorisé pour cette chambre, m'a-t-elle expliqué.

Nous avions atterri à l'heure, j'allais donc pouvoir participer à l'entraînement. J'avais raté les derniers, à cause de ce voyage, et ça m'inquiétait de prendre du retard par rapport à mes coéquipiers. D'autant que je n'avais encore jamais joué avec l'équipe d'élite.

Le lycée de Kasselton, mon nouveau bahut, avait une équipe junior et une équipe d'élite. Cette dernière comprenait des premières et des terminales. Les troisièmes et les secondes jouaient en junior, et, depuis douze ans qu'il entraînait les Kasselton Camels, le coach Grady n'avait jamais intégré un élève de seconde dans l'équipe d'élite.

Alerte à la frime : moi, un pauvre seconde, j'avais été invité à passer les sélections.

Même si j'avais hâte de me retrouver sur le terrain, j'ai senti mon ventre se nouer au moment où Myron a arrêté la voiture devant le lycée. Mon oncle a dû voir ma tête.

— Tu appréhendes ?

— Qui, moi ? Non.

Myron a posé une main sur mon épaule.

— Tu mettras peut-être un peu de temps à t'échauffer après un si long vol, mais une fois que tu seras sur le parquet et que tu auras le ballon dans les mains…

— D'accord, merci, l'ai-je interrompu, pas très disposé à entendre ses conseils.

Ce n'étaient pas mes performances qui m'inquiétaient, mais mes coéquipiers. Pour faire court, ils me détestaient tous.

Aucun des premières et des terminales ne supportait l'idée qu'un simple élève de seconde vienne s'immiscer dans leur groupe et gâcher la fête.

J'ai entendu des rires en provenance des vestiaires, mais dès que j'ai poussé la porte, tous les bruits se sont arrêtés net comme si on avait actionné un interrupteur. Troy Taylor, le capitaine, m'a lancé un regard noir. Pour dire les choses gentiment, il y avait un contentieux entre lui et moi. J'ai détourné les yeux et ouvert un casier.

— Pas là, a-t-il dit.

— Quoi ?

— Cette rangée est réservée aux titulaires.

Tout le monde utilisait cette rangée de casiers. J'ai regardé mes futurs coéquipiers. Certains avaient la tête baissée et nouaient leurs lacets avec un peu trop d'application. D'autres me dévisageaient avec une hostilité non dissimulée. J'ai cherché des yeux Buck, meilleur ami de Troy et abruti fini, mais il n'était nulle part en vue.

Si j'avais espéré que quelqu'un prenne ma défense, ou au moins intervienne, j'en ai été pour mes frais. Un petit sourire suffisant aux lèvres, Troy m'a fait signe de dégager. Je me suis senti rougir. Devais-je battre en retraite, ou me battre tout court ?

J'ai décidé que ça n'en valait pas la peine.

Même si je détestais faire ce plaisir à Troy, je n'avais pas oublié les paroles de mon père : il ne sert à rien de gagner une bataille si c'est pour perdre la guerre.

J'ai pris mes affaires, je les ai emportées jusqu'à la rangée suivante, puis j'ai enfilé mon short et le maillot d'entraînement réversible. Après avoir lacé mes baskets, j'ai rejoint le gymnase. Le doux écho des dribbles m'a un peu calmé, mais dès que j'ai poussé la porte, tous les ballons se sont arrêtés.

Grandissez, bon sang !

Il y avait quatre ou cinq joueurs autour de trois paniers. Troy a tiré dans celui du bout à droite. Une fois encore, j'ai cherché Buck – qui suivait toujours Troy comme un toutou –, mais il n'était pas non plus sur le terrain. Est-ce qu'il s'était blessé ? Ce n'était peut-être pas très fair-play, mais je l'espérais.

J'ai lancé un coup d'œil aux types qui faisaient cercle autour du panier du milieu. Des vraies portes de prison. Devant le troisième panier, j'ai repéré Brandon Foley, le pivot de l'équipe et cocapitaine. Avec ses deux mètres, Brandon était le plus grand du groupe, et, dans le passé, il avait été le seul à m'adresser la parole sans agressivité. Alors que je faisais un pas vers lui, il a croisé mon regard et secoué la tête.

Super.

Qu'ils aillent se faire foutre ! Je me suis dirigé vers un panier tout au fond du gymnase et j'ai commencé à tirer tout seul. J'avais le visage en feu. J'ai laissé cette brûlure s'imprégner profondément en moi. Elle me serait bénéfique. Elle nourrirait mon jeu et le rendrait meilleur. Elle me permettrait d'oublier, ne serait-ce qu'un moment, que j'ignorais toujours ce qui était arrivé à mon père. Elle me permettrait d'oublier – on peut toujours rêver – que mon ami Spoon était à l'hôpital, qu'il ne remarcherait peut-être plus jamais et que c'était ma faute.

Était-ce la raison pour laquelle tous mes coéquipiers potentiels, même Brandon Foley, me battaient froid ? Me reprochaient-ils eux aussi ce qui était arrivé au petit binoclard qu'ils adoraient martyriser ?

Peu importait. Tirer, rattraper le rebond, tirer. Garder les yeux braqués sur l'arceau, rien que l'arceau, ne pas regarder le ballon en vol, éprouver la sensation au bout des doigts. Tir, *swish*, tir, *swish*. Et que le reste du monde disparaisse l'espace d'un instant.

Avez-vous une passion comme celle-là dans votre vie ? Une activité ou un sport qui vous absorbe à tel point que le monde entier s'évanouit ? Parfois, au basket, je me concentrais si fort que tout le reste cessait d'exister. Il y avait le ballon. Il y avait le panier. Rien d'autre.

— Hé, champion ?

Le son de la voix de Troy m'a arraché à ma transe. Je me suis retourné. Le gymnase était vide.

— Réunion de l'équipe pour les non-titulaires. Salle 178. Grouille-toi.

— C'est où ?

— Tu te fiches de moi ?

— Je suis nouveau, n'oublie pas.

— À l'étage en dessous. Passe les portes coupe-feu. Dépêche-toi. Le coach Grady ne supporte pas qu'on arrive en retard.

— Merci.

J'ai lâché le ballon et je me suis précipité dans le couloir. Alors que je m'engageais dans l'escalier, j'ai senti un petit doute me titiller. Pourquoi le coach organiserait-il une réunion si loin du gymnase ? Je regrette de ne pas m'être arrêté pour suivre mon intuition. Mais je n'avais pas vraiment le temps. Qu'est-ce que j'aurais pu faire, de toute façon ? Remonter les marches quatre à quatre pour demander à mon pote Troy des détails sur cette réunion ?

J'ai parcouru les couloirs en courant, sans croiser personne. L'écho de mes baskets martelant le sol en lino m'a paru aussi fort que…

… des coups de feu.

Ma tête s'est mise à tourner. Où étais-je exactement ? Cette partie du lycée était réservée aux terminales. Je n'y étais jamais venu. Mais si je me fiais à mon sens de l'orientation, je me trouvais juste au-dessus de l'endroit où Spoon s'était fait tirer dessus quelques jours plus tôt.

J'ai encore accéléré.

Salle 166. Salle 168. Je me rapprochais. 170, 172…

J'ai vu les portes coupe-feu dont Troy avait parlé. Je les ai poussées, et elles se sont refermées derrière moi avec fracas.

Impossible de revenir sur mes pas.

Il n'y avait pas de salle 178. L'entraînement devait sans doute débuter à la minute même. J'allais devoir sortir par l'arrière, traverser le terrain de foot et repasser par l'entrée principale pour rejoindre le gymnase.

J'ai eu beau courir aussi vite que possible, il m'a fallu presque dix minutes pour y arriver. Mes coéquipiers avaient déjà commencé les exercices de criss-cross quand j'ai fait irruption sur le terrain. Le coach Grady n'a pas eu l'air ravi.

— Tu es en retard, Bolitar.

— Ce n'est pas ma...

Je me suis arrêté net. Qu'est-ce que j'allais dire, exactement ? Troy me regardait avec son petit sourire stupide et suffisant. J'avais deux possibilités. Un, expliquer au coach ce qui s'était réellement passé, auquel cas, que l'entraîneur me croie ou pas, je serais catalogué comme une balance. Deux, la fermer.

— Désolé, coach.

Mais Grady n'en avait pas fini.

— Arriver en retard à l'entraînement est un manque de respect vis-à-vis de tes coéquipiers et de tes entraîneurs.

— Ça n'arrivera plus.

— Tu ne fais pas encore partie de l'équipe.

— Oui, monsieur.

— Et ça ne plaide pas en ta faveur.

— Je comprends, monsieur. Je suis vraiment désolé.

Le coach m'a observé un petit peu trop longtemps.

— Fais trois fois le tour du terrain et va te mettre en position. Troy ?

— Oui, coach ?

— Où est Buck ?

41

— Je ne sais pas, coach. Il ne répond pas sur son portable.

— Bizarre. Il n'a jamais manqué une séance. Bon, déplacement en pas chassés latéraux. Allez, on se remue !

Ça ne s'est pas arrangé par la suite. Quand nous avons travaillé les actions de jeu, les gars lançaient le ballon à mes pieds, ce qui le rendait impossible à rattraper. Quand nous avons fait un match, ils m'ont ignoré et ne m'ont pas fait une seule passe, même quand j'étais le mieux placé. Bien sûr, j'ai pris pas mal de rebonds. J'ai marqué deux fois après une interception. Malgré tout, quand vos coéquipiers vous excluent, vous ne pouvez pas faire grand-chose.

C'est alors que, une minute avant la fin de l'entraînement, j'ai vu une superbe ouverture.

Je couvrais Brandon Foley. Il a pris le rebond et fait une longue passe à Troy Taylor. Troy « traînait autour du cercle », comme on dit, c'est-à-dire qu'il ne jouait pas la défense, mais restait près de son panier pour marquer des points faciles. Il a attrapé le ballon et ralenti son dribble. Il prenait son temps, préparant sa détente, montant en régime pour effectuer un *dunk* spectaculaire.

Les autres sont restés en arrière à l'observer, attendant de voir s'il allait dunker à une ou deux mains, faire un *reverse dunk* ou un truc encore plus dingue.

Pas moi.

J'ai foncé vers le panier. Devant moi, Troy a décollé. Il avait la main au-dessus de l'arceau, le ballon dans la paume. Il était à une demi-seconde de smasher quand j'ai bondi par-derrière et l'ai contré.

— Qu'est-ce que… ?

Un contre parfaitement réglo.

— Faute ! a hurlé Troy.

Je n'ai pas répondu, j'ai juste couru derrière le ballon.

— Il y a faute, là !

J'ai récupéré le ballon. Je l'avais mis en touche. Il était à eux. Mon père m'avait appris qu'il fallait laisser parler son jeu. On ne hurle pas contre l'arbitre. On n'insulte personne. On se contente de jouer.

J'ai passé le ballon à Troy qui me l'a littéralement arraché des mains.

— Y a eu faute ! a-t-il crié une fois encore.

— Remets en jeu, Troy, a dit le coach Grady.

— Mais…

— Ce n'est qu'un match d'entraînement. Allez. Il reste dix secondes.

Furieux, Troy a marmonné dans sa barbe. Je l'ai ignoré et me suis préparé. J'ai serré Brandon Foley au plus près. Je savais que Troy allait vouloir lui faire une passe d'un lob au-dessus de ma tête. Je n'allais pas le lui permettre.

Troy a crié « Ça joue ! », et tous les joueurs se sont remis en action. Je marquais Brandon de l'avant-bras, essayant d'anticiper son saut. J'avais le dos tourné au ballon, les yeux rivés sur mon adversaire, le couvrant de près.

Les secondes s'écoulaient.

S'il en passait encore cinq, nous récupérerions le ballon. On s'en rapprochait. J'ai risqué un coup d'œil pour voir ce que Troy fabriquait.

C'était exactement ce qu'il attendait.

Quand j'ai vu le sourire sur son visage, j'ai compris que je venais de commettre une erreur. Il avait compté là-dessus : que je cède à la curiosité. Sans préavis ni hésitation, il m'a balancé le ballon en pleine figure.

Je n'ai pas eu le temps de réagir : le ballon s'est écrasé sur mon nez. J'ai chancelé en arrière et vu trente-six chandelles. Les larmes me sont montées aux yeux. Ma tête était comme du coton. J'ai lutté pour rester debout, pour ne pas offrir à Troy la satisfaction de me voir à terre, mais impossible.

Je suis tombé à genoux en me couvrant le nez.

Brandon a posé une main sur mon épaule.

— Ça va ?

Le coach Grady a sifflé pour interrompre le match.

— Qu'est-ce que tu as foutu, bon sang ?

— Désolé, a répondu Troy, tout gentil et innocent. Je voulais passer le ballon à Brandon.

J'ai donné un coup d'épaule pour écarter la main de Brandon. La douleur refluait. Mon nez n'était pas cassé. Je me suis relevé aussi vite que j'ai pu. Ma tête s'est mise à tourner en signe de protestation, mais je ne l'ai pas écoutée.

Clignant des yeux pour refouler mes larmes, j'ai soutenu le regard de Troy.

— Qui a le ballon ? ai-je demandé le plus calmement possible.

— Tu es sûr que tu… a commencé Brandon.

— Nous, m'a répondu Troy. Il t'a touché avant de sortir.

— Alors, à vous, ai-je dit. On continue.

Mais juste à ce moment-là, Stashower, l'entraîneur assistant, a fait irruption dans le gymnase. Il a murmuré quelque chose à l'oreille de Grady, dont le visage s'est décomposé.

— OK, ça suffit, a-t-il dit. L'entraînement est

terminé. Faites un tour de terrain puis allez vous doucher.

J'ai expédié mon tour vite fait avant de rejoindre ma rangée de casiers solitaires. J'ai aussitôt consulté mon portable. Un seul SMS, signé Ema : **Tu passes après le basket ? Dis-moi à kel heure.**

J'ai répondu que la séance venait de se terminer et que oui, bien sûr, j'allais passer.

Après tout, on devait retrouver son « petit ami » disparu.

Je n'avais toujours pas de nouvelles de Rachel. Je me demandais ce que je devais faire. Un adulte « bien intentionné » m'aurait sûrement dit un truc du genre « laisse-lui du temps », mais je détestais ce genre de conseil. J'avais tout gâché. D'après Myron, la pire vérité valait mieux que le plus beau mensonge. Je l'avais écouté et j'avais révélé à Rachel l'horrible vérité à propos de la mort de sa mère.

Maintenant, apparemment, elle ne voulait plus entendre parler de moi.

J'ai pensé à ça. J'ai pensé à Spoon dans son lit d'hôpital. J'ai pensé à l'urne dans la tombe de mon père. J'ai pensé à ma mère, en cure de désintoxication. J'ai pensé au basket, à mon rêve de jouer enfin dans une véritable équipe et à ma désillusion devant l'hostilité de mes coéquipiers.

Assis à côté de mon casier, en sueur, je les entendais faire des blagues et partager cette amitié facile et joyeuse que je n'avais jamais vraiment connue. Émotionnellement vidé, je suis resté dans mon coin et j'ai décidé d'attendre qu'ils se soient tous douchés et habillés pour me changer.

Je n'avais plus la force de les affronter aujourd'hui.

Troy s'était lancé dans une longue histoire sans intérêt quand Stashower a passé la tête dans le vestiaire.

— Troy ? Le coach veut vous voir dans son bureau.

— Je finis ma blague...

— Tout de suite, Troy.

Tout le monde l'a hué gentiment quand il est sorti.
Puis les gars ont pris leur douche et se sont rhabil-
lés. Pendant ce temps-là, j'ai fait mine de consulter
d'importants messages sur mon iPhone. Dix minutes
ont passé. Mes coéquipiers ont commencé à s'en aller
en se donnant des tapes dans le dos, en décidant de qui
repartirait dans la voiture de qui, de l'heure à laquelle
ils se retrouveraient au Heritage Diner et chez qui ils
iraient traîner ensuite.

J'avais cru que toute l'équipe avait mis les voiles
quand Brandon Foley est venu s'asseoir sur le banc
devant mon casier.

— Dur, l'entraînement, a-t-il dit.

J'ai haussé les épaules.

— J'en ai vu d'autres.

— Troy n'est pas méchant, dans le fond.

— C'est ça. Un agneau.

Brandon a souri. Je savais que c'était quelqu'un qui
comptait, au lycée. Il était président du conseil des
élèves, président du Key Club, président de la branche
locale de la National Honor Society et, comme je l'ai
déjà dit, cocapitaine (avec Troy) de l'équipe de basket.

Vous voyez le genre. Un type sympa, mais qui veut
se faire aimer de tout le monde.

— Il faut comprendre, a-t-il repris.

— Ah ?

— C'est un petit bizutage. Tu es le seul seconde.

C'était bien plus qu'un petit bizutage, mais je ne voyais pas l'intérêt de poursuivre cette conversation.

— Mickey ?

— Quoi ?

— Tu sais que cette équipe a gagné le championnat du comté, l'année dernière ?

— Oui.

— Et qu'on était à deux doigts de remporter le championnat de l'État. Tu sais à quand remonte la dernière victoire du lycée ?

Difficile de l'ignorer : les souvenirs du grand événement s'étalaient partout dans le gymnase, sous forme de bannières et de maillots suspendus. Vingt-cinq ans plus tôt, mon oncle Myron, meilleur marqueur et rebondeur de l'histoire du lycée, avait mené les Kasselton Camels à leur seule victoire en championnat de l'État. L'un de ses coéquipiers – *deuxième* marqueur et rebondeur de l'équipe – n'était autre qu'Edward Taylor, le père de Troy. C'était maintenant le commissaire de police de la ville.

Deux générations de mauvais gènes.

— Et alors ?

— Alors, l'année dernière, notre équipe a intégré cinq élèves de première, si bien qu'on est encore tous là cette année. Tous les cinq, on joue ensemble depuis la sixième. Troy, Buck, Alec, Damien et moi… on a tous grandi ensemble. Depuis l'âge de onze ans, on a toujours été les cinq majeurs. Tu ne te rends peut-être pas compte de ce que ça représente.

Oh que si, je m'en rendais compte. D'autant plus que je n'avais rien vécu de tel. Mes parents et moi avions toujours habité à l'étranger et déménagé d'un pays à l'autre, principalement dans le tiers-monde.

Nous menions une existence de nomades, sac au dos, montant et démontant la tente pour nous installer dans de petits villages. Si bien que je n'avais jamais connu ce genre d'amitié. Comme je vous l'ai dit, Ema et Spoon étaient les meilleurs amis que j'avais jamais eus, et nous ne nous connaissions que depuis quelques semaines.

— Maintenant, a poursuivi Brandon de sa voix calme, raisonnable et pleine de maturité, nous sommes tous les cinq en terminale. C'est notre dernière année ensemble. Ensuite, chacun partira faire ses études de son côté, et nous ne jouerons plus jamais dans la même équipe. Ce moment, on l'a attendu toute notre vie, ou presque. Sauf qu'à cause de toi l'un de nous ne fera plus partie des cinq majeurs.

— Rien ne dit que...

Brandon a levé la main.

— S'il te plaît, Mickey, pas de fausse modestie. Tu connais ton niveau de jeu. Je connais ton niveau de jeu. Troy a toujours été notre meilleur joueur et notre marqueur le plus performant. Bientôt, ce sera toi. Et il le sait très bien. Ça fait combien de temps que tu es dans ce lycée ? Quelques semaines ? Et en quelques semaines, tu as réussi à lui piquer sa copine et bientôt tu lui piqueras sa place dans l'équipe.

Il parlait de Rachel. J'aurais voulu le corriger (je ne la lui avais pas « piquée » et on ne sortait pas ensemble), mais il valait peut-être mieux que je me taise.

Brandon s'est levé.

— Laisse-lui le temps de s'habituer, OK ?

— Je ne lui ai pas piqué sa copine.

C'était sorti tout seul.

— Quoi ?

— Quand je suis arrivé ici, Rachel l'avait déjà largué.

— La question n'est pas là.

— Bien sûr que si. Et je n'y peux rien si je joue mieux que lui.

— Je ne dis pas le contraire. Je t'explique seulement ce qui se passe.

— Je m'en fous.

— Pardon ?

— Troy est un sale type. Il n'arrête pas de nous agresser – pas seulement moi, mais aussi Ema et Spoon –, et toi tu lui trouves des excuses. Il me cherche depuis le premier jour, alors qu'il ne m'avait même pas encore vu jouer. Là, il vient de me balancer un ballon en pleine figure. Alors, désolé, Brandon, mais je ne suis pas d'humeur à écouter quelqu'un prendre sa défense.

— Je ne prends pas sa défense.

Je me suis levé.

— Si. Et tu l'as laissé faire. Toi, le grand cocapitaine et le président de toutes les associations de ce putain de lycée, tu l'as regardé faire sans broncher.

Brandon n'a pas eu l'air d'apprécier cette dernière remarque.

— Écoute, Mickey, je suis venu là pour t'aider.

— Tu arrives un peu tard. Et si ton aide consiste à justifier pourquoi ton vieux pote me déteste, je préfère m'en passer, merci. C'est à lui que tu devrais parler, pas à moi.

Brandon m'a regardé pendant une minute ou deux. J'aurais voulu retirer ce que je venais de dire. Il avait été le seul à faire un pas vers moi, et je l'avais repoussé. Mais j'étais furieux, crevé, en plein décalage horaire, et j'en avais marre de toutes ces embrouilles. Je n'avais pas envie d'entendre parler des problèmes de Troy : les miens me suffisaient.

Malgré tout, je n'ai pas pu m'empêcher de lancer :

— Écoute, Brandon, je ne voulais pas…

— À un de ces jours.

Il est parti sans ajouter un mot.

C'était aussi bien comme ça. De toute façon, je n'avais rien à lui dire.

Enfin seul, je suis allé prendre ma douche. Ça vous est déjà arrivé de vous retrouver seul dans des vestiaires ? Tous les bruits résonnent comme dans un ampli. J'ai ouvert le robinet et me suis glissé sous le jet merveilleusement cinglant. J'ai pris mon temps, laissant l'eau me masser le dos et la tête, j'ai fermé les yeux et respiré profondément.

Calme-toi, me disais-je.

Je venais de sortir de la douche quand j'ai entendu la porte du vestiaire s'ouvrir à la volée. J'ai jeté un coup d'œil de l'autre côté du mur.

C'était Troy.

Il ne m'a pas vu. Immobile, je l'ai regardé s'effondrer sur le banc devant son casier et se prendre la tête dans les mains. Puis j'ai entendu un bruit, un bruit qui ressemblait à…

Troy pleurait !

Un instant, j'ai cru que le coach Grady lui avait passé un savon pour son comportement d'aujourd'hui. L'entraîneur s'était peut-être rendu compte qu'il s'était fichu de moi avec cette fausse réunion puis il l'avait peut-être vu me balancer ce ballon dans la figure.

Mais j'allais bientôt apprendre que ça n'avait rien à voir avec moi.

La porte du vestiaire s'est rouverte, et Stashower est entré.

— Vous avez récupéré vos affaires, Troy ?

Troy a reniflé et s'est essuyé le visage avec son avant-bras.

— C'est un mensonge, et vous le savez.

— Nous vous avons entendu.

— C'est un coup monté.

— Quoi qu'il en soit, je suis censé rester avec vous pendant que vous videz votre casier.

— Maintenant ?

— Maintenant, Troy.

Troy a paru sur le point de protester, puis il s'est ravisé. Furieux, il a sorti son sac du casier et fourré ses affaires dedans. Toutes ses affaires : baskets, vêtements, monnaie, shampoing, eau de Cologne (de l'eau de Cologne ?) et même une vieille photo de lui, le bras passé autour des épaules de Rachel dans son costume de pom-pom girl.

Qu'est-ce qui se passait ?

— Je vais vous raccompagner dehors, a annoncé Stashower d'une voix ferme.

— Pas la peine.

Troy s'est rué vers la porte.

— C'est faux. Tout est faux.

Et il est parti.

7

J'aurais dû exulter, mon pire ennemi venait apparemment de quitter l'équipe. Mais je me sentais perplexe et pour tout dire un peu largué. D'accord, ça semblait être mon état permanent en ce moment. J'étais à mon meilleur quand je n'avais pas besoin de trop réfléchir, c'est-à-dire lorsque j'étais sur le terrain, ou quand j'avais une tâche spécifique à accomplir.

Alors, quelle était la tâche suivante ?

Aider Ema à retrouver son petit copain, j'imagine.

J'ai remonté la longue allée et traversé l'immense parc devant l'imposant manoir où vivait mon amie. À peine avais-je posé le doigt sur la sonnette que la porte d'entrée s'est ouverte lentement.

— Monsieur Mickey. Soyez le bienvenu.

C'était Niles, le majordome de la famille, dont l'accent anglais m'avait toujours paru trop prononcé pour être vrai. Il portait un smoking ou une queue-de-pie… enfin, ce genre de costume, et se tenait raide comme un piquet. Il a haussé un sourcil.

Ema s'est précipitée vers la porte.

— Arrêtez ça, Niles.

— Désolé, mademoiselle.

Elle a levé les yeux au ciel.

— Il regarde trop les programmes de la BBC.

Ils formaient un drôle de tableau. Tous deux étaient vêtus de noir, mais la ressemblance s'arrêtait là. Niles était tiré à quatre épingles. Ema jouait le look gothique à fond : vêtements noirs, cheveux noir corbeau, teint blafard et lèvres noires. Elle avait des clous en argent le long des oreilles, un piercing à l'arcade et une bague tête de mort à chaque main.

En descendant l'escalier pour aller au sous-sol, je n'ai pas pu m'empêcher de contempler les affiches de films où la sublime Angelica Wyatt tenait le premier rôle. Sur certaines, on la voyait en gros plan. Sur d'autres, en pied. Elle était parfois seule, parfois avec un partenaire. Au-dessus de la dernière marche était accroché le poster de la comédie romantique qu'elle avait tournée avec Matt Damon l'année précédente.

Rares étaient ceux qui savaient qu'Angelica Wyatt – oui, *la vraie* Angelica Wyatt – était la mère d'Ema.

— Raconte-moi comment ça s'est passé en Californie, m'a-t-elle demandé quand nous avons été installés dans les immenses poufs Sacco.

Je lui ai tout dit.

— C'était peut-être ce que voulait ton père, a-t-elle commenté à la fin.

— Quoi ? Se faire incinérer ?

— Oui, beaucoup de gens font ce choix. C'est possible, non ?

J'y ai réfléchi. Dans la plupart des cultures étrangères – des cultures que mon père admirait –, les gens préféraient la crémation à l'enterrement. Je me souvenais de l'avoir entendu un jour déplorer que tant de bonnes terres arables, qui auraient pu être utilisées pour l'agriculture, soient « gâchées » pour en faire des cimetières.

Se pouvait-il qu'il ait dit à maman qu'il voulait être incinéré ?

Après réflexion, j'ai répondu :

— Non.

— Tu en es sûr ?

— Si mon père avait voulu être incinéré, il n'aurait pas voulu être enterré. Il aurait choisi l'un ou l'autre.

Ema a hoché la tête.

— Mais c'était bien la signature de ta mère sur le formulaire ?

— Oui.

— Donc ?

— Donc, il faut que je lui pose la question. Le problème, c'est qu'elle n'a pas le droit de recevoir de visites au centre en ce moment. Elle est en plein sevrage.

— Pendant encore combien de temps ?

— Je ne sais pas.

J'ai regardé Ema. Oui, elle s'intéressait sincèrement à mon cas, mais je voyais clair dans son jeu. Elle posait toutes ces questions pour gagner du temps.

— Bon, parle-moi de ton petit copain disparu.

Pendant une seconde ou deux, elle n'a pas réagi. Elle a dégluti, cligné des paupières, puis s'est perdue dans la contemplation du sol.

— Petit copain, c'est peut-être un peu exagéré.

J'ai attendu la suite.

— Mickey ?

— Quoi ?

Elle s'est mise à tripoter la bague tête de mort à sa main gauche.

— Tu dois me promettre un truc.

Son langage corporel envoyait les mauvais signaux. Ema était l'assurance personnifiée. Malgré son surpoids, elle se moquait du regard des gens. Elle était bien dans sa peau. Et là, tout d'un coup, toute sa confiance en soi semblait l'avoir quittée.

— OK.

— Tu dois promettre de ne pas te moquer de moi.

— Tu plaisantes ?

Elle s'est contentée de soutenir mon regard.

— OK, OK, je promets. Mais c'est bizarre, quand même.

— Qu'est-ce qui est bizarre ?

— Ce que tu me demandes de promettre. Je croyais que tu te fichais de l'opinion des autres.

— De celle des autres, oui. Mais pas de la tienne.

Une seconde a passé. Puis une autre. Enfin, j'ai dit :

— Ah…

Parce que je suis le roi de l'éloquence.

Bien sûr, c'était un commentaire débile de ma part : tout le monde se soucie de ce que pensent les autres. Certains réussissent mieux à le cacher, c'est tout.

— Allez, raconte.

— J'ai rencontré un type sur un forum de discussion.

— Tu traînes sur les forums ?

— Tu avais promis.

— Je ne me moque pas de toi.

— Tu me juges, ce n'est pas mieux.

— Non. Je suis surpris, c'est tout.

— Ce n'est pas ce que tu crois. J'ai aidé ma mère à utiliser les réseaux sociaux. Elle n'y comprend rien. Son manager non plus, pas plus que son agent ou que son assistante. Bref, je lui ai créé ses comptes Twitter,

Facebook, et tout ça. Et maintenant, je m'occupe de la veille.

— OK.

— Bref, sur le forum, j'ai rencontré ce type.

Je n'ai rien fait d'autre que la regarder.

— Quoi ? a-t-elle demandé.

— Rien.

— Tu recommences à me juger.

— Pas du tout. Je suis juste assis là à t'écouter. Si tu lis autre chose sur mon visage, c'est ton problème, pas le mien.

— C'est ça...

— Je m'étonne, d'accord ? Et c'était quoi, comme forum ?

— Un forum pour les fans d'Angelica Wyatt.

J'ai fait un super effort pour rester impassible.

— Tu vois, tu recommences ! s'est-elle écriée.

— Arrête de me regarder et raconte-moi ce qui s'est passé. Tu es sur un forum dédié à Angelica Wyatt et tu te mets à chatter avec un mec. Jusque-là, c'est bien ça ?

Ema a eu l'air piteux.

— Ouais.

— Tu utilises un pseudo ?

— Non.

— Pourquoi ?

— Pourquoi je le ferais ? Personne ne sait que je suis la fille d'Angelica Wyatt.

Même moi, je ne l'avais appris que la semaine précédente, et uniquement parce que je l'avais suivie en rentrant du lycée. Au bahut, tout un tas de bruits couraient à propos d'Ema. Dans toutes les écoles, paraît-il, il y a un ou une élève qui a l'air de sortir de nulle part tous les matins. Personne ne sait où ils habitent. Personne n'a jamais mis les pieds chez eux. C'est ainsi que naissent les rumeurs. Et Ema n'y avait pas coupé. Certains disaient qu'elle vivait dans une cabane au fond des bois. Que son père abusait d'elle. Qu'il dealait de la drogue, et ainsi de suite.

Ema encourageait ces rumeurs pour cacher la vérité : elle était la fille d'une star de cinéma mondialement connue.

— J'utilise mon vrai nom sur le forum, comme si j'étais une simple fan parmi d'autres.

— D'accord, continue.

— Bref, j'ai commencé à chatter avec lui. Puis on s'est envoyé des e-mails et des SMS.

Elle est devenue toute rouge.

— Il m'a raconté sa vie. Il a vécu en Europe, avant de rentrer aux États-Unis l'année dernière. On parlait de bouquins, de films, de ce qu'on ressentait. Nos conversations sont devenues… assez intimes.

J'ai fait la grimace.

— Mais non ! m'a rabroué Ema. Pas intime dans ce sens-là.

— Je n'ai pas dit…

— Arrête, s'il te plaît. Et ne joue jamais au poker, Mickey. Tu serais nul. On discutait, c'est tout. On discutait et on échangeait sur pas mal de choses. Au début, d'accord, je me suis dit que son profil était peut-être un *fake*.

— Un canular ?

— Oui, tu me connais. Je ne fais pas confiance facilement. Mais le temps passant…

Le regard d'Ema s'est éclairé.

— C'est bizarre, mais on a changé tous les deux.

Surtout lui. Même s'il jouait peut-être un jeu au début, j'ai eu l'impression qu'il devenait réel. Je ne peux pas l'expliquer.

J'ai hoché la tête, pour l'inciter à m'en dire davantage.

— Donc, vous êtes devenus proches.

— Oui.

— Tu sentais qu'il se livrait de plus en plus.

— Oui. Il y a quelques jours, il m'a écrit qu'il avait une chose très importante à me dire. Qu'il voulait m'avouer un truc. J'ai pensé : et voilà, ça y est ! En fait, c'est une fille de onze ans ou un homme marié de trente-huit.

— Mais ce n'était pas ça ?

— Non.

— Alors, c'était quoi, son grand secret ?

— Je n'ai jamais su, justement. (Ema s'est penchée vers moi.) Tu ne comprends pas ? Il a flippé. J'explique mal. Là, je t'ai résumé des centaines de SMS et de conversations. C'était comme s'il s'était passé quelque chose et qu'il avait soudain eu peur de me révéler la vérité.

— Tu as raison.

— Tu crois ?

J'ai hoché la tête.

— Tu expliques mal.

Ema m'a donné un coup de poing dans le bras.

— Contente-toi d'écouter, d'accord ?

— OK.

— On a fini par se donner rendez-vous, Jared et moi.

— Il s'appelle Jared ?

— Ah, tu vas te moquer de son prénom, maintenant ?

J'ai levé les mains en signe d'apaisement.

— Il habite dans le Connecticut, à environ deux heures d'ici. On avait décidé de se retrouver au centre commercial de Kasselton. Jared vient d'avoir son permis et pouvait venir en voiture. Ce truc important dont il parlait, il voulait me l'annoncer de vive voix. Il a dit que, quand on se serait rencontrés, je comprendrais tout.

— Tu comprendrais tout à propos de quoi ?

— À propos de lui. De nous.

J'étais largué, mais j'ai tout de même dit :

— OK. Et ensuite ?

— Ensuite... Rien.

— Comment ça, rien ?

— Rien, c'est clair, non ? Je suis allée au centre commercial de Kasselton. J'ai attendu à l'endroit précis où on devait se retrouver, c'est-à-dire au fond du café Ruby Tuesday's. Mais il n'est pas venu. J'ai attendu une heure. Deux heures. Puis... OK, j'avoue, je suis restée assise là à poireauter toute la journée.

— Jared ne s'est pas montré ?

— Tu as tout compris.

— Qu'est-ce que tu as fait après ?

— Je lui ai envoyé un texto, mais il n'a pas répondu. Je lui ai envoyé un mail. Pareil. Je suis retournée sur le forum, mais il ne s'est plus connecté. J'ai même consulté sa page Facebook, mais je n'ai rien trouvé. C'était comme s'il avait purement et simplement disparu.

Ema a pianoté sur le clavier de son ordinateur portable et tourné l'écran vers moi. C'était le profil Facebook d'un garçon nommé Jared Lowell. Après un seul coup d'œil à la photo, j'ai lancé :

— Tu t'es fait avoir.

— Quoi ?

Le type sur la photo était ridiculement beau. Pas juste beau comme le beau gosse du lycée. Beau comme dans les pubs pour du déodorant, le genre à parader au premier plan d'un boys' band.

— Laisse tomber.

Mais Ema s'est énervée.

— Pourquoi tu as dit ça ?

— Laisse tomber, je t'ai dit.

— Non. Pourquoi tu as dit que je m'étais fait avoir quand tu as vu sa photo ? C'est parce qu'il est mignon, c'est ça ?

— Quoi ? Non !

Mais je n'étais pas convaincant, même à mes propres oreilles.

— Tu penses qu'un mec comme lui ne s'intéresserait jamais à une fille comme moi, hein ?

— Mais non, pas du tout.

— Si j'étais Rachel Caldwell, tu n'aurais aucun mal à y croire…

— La question n'est pas là. Enfin, regarde-le ! Franchement, Ema ! Si je te disais que j'avais une relation sur Internet avec une fille, et que je te montrais la photo d'un mannequin pour maillots de bain, tu en penserais quoi ?

— Je te croirais.

Mais cette fois, c'était sa voix à elle qui manquait de conviction.

— Bien sûr. Et ensuite, au moment où je devrais rencontrer Miss Bikini en personne, elle disparaîtrait brusquement. Tu y croirais toujours ?

— Oui, a-t-elle répondu un peu trop fermement.

J'ai posé les mains sur ses épaules.

— Tu es ma meilleure amie, Ema. La meilleure amie que j'aie jamais eue.

Elle a baissé les yeux et rougi d'embarras.

— Je pourrais te mentir et te raconter que tout est très bien parti. Mais quel genre d'ami fait ça ? Je ne dis pas que ton histoire avec Jared n'est pas réelle. Mais si moi je n'ai pas le courage de te dire de quoi ça a l'air, qui l'aura ?

Elle a gardé la tête baissée.

— Tu penses quoi, alors ? Que c'est un *fake* ?

— Peut-être. Si ça se trouve, c'est une blague.

Elle a levé les yeux vers moi.

— Une blague ?

— Une mauvaise blague, d'accord, mais c'est possible.

— Ah, ah, ah. (Ema a secoué la tête.) Mickey, réfléchis deux secondes. Admettons que ce soit une imposture. Admettons que ce soient les sales types du lycée. Du genre Buck et Troy. Admettons qu'ils aient tout manigancé.

J'ai attendu la suite.

Ema a écarté les bras.

— Qu'est-ce qu'ils y gagnent ?

Je n'ai pas su quoi répondre.

— Ils s'en seraient vantés, non ? Ils se seraient foutus de moi. Ils auraient mis en ligne nos conversations intimes. Ils auraient fait en sorte que le monde entier sache quelle idiote j'étais, tu ne crois pas ? (Une larme a roulé sur sa joue.) Pourquoi Jared l'imposteur aurait-il disparu sans avoir le dernier mot ?

— Je ne sais pas.

— Mickey ?

— Oui ?

— C'est facile, de se moquer de ce genre de relations. Moi aussi, ça m'a fait beaucoup rigoler. Mais quand tout passe par les mots comme ça, par e-mail ou par texto, c'est plus réel. Peu importe le physique ou la table à laquelle on s'assoit à la cafèt. Peu importe qu'on joue quarterback ou qu'on soit le président du club d'échecs. Tout ça n'a aucune importance. Il n'y a plus que deux personnes, leur intelligence et leurs sentiments. Tu comprends ?

— Bien sûr.

— Écoute-moi, Mickey. Regarde-moi dans les yeux et écoute-moi vraiment.

J'ai plongé dans ces yeux où, l'espace d'une seconde, je me suis agréablement noyé. Ces yeux, je leur faisais confiance.

— Je le sais, a dit Ema. Ne me demande pas comment, mais je le sais. On doit le faire, même si tu penses que je suis folle.

— Pourquoi ?

— Parce que ça ne dépend pas de nous.

— Bien sûr que si.

Ema a secoué la tête.

— Ces histoires viennent à nous, Mickey. Elles nous dépassent.

— Qu'est-ce que tu veux dire ?

— Tu le sais très bien.

— Tu crois que ça vient d'Abeona, c'est ça ?

Elle s'est rapprochée de moi pour qu'on puisse partager l'ordinateur. J'ai senti son parfum. Il était nouveau, différent. Je l'avais déjà senti, mais je ne savais plus où. Elle est retournée sur la page Facebook de Jared.

— Une seule photo a été ajoutée depuis sa disparition...

En la voyant, j'ai failli m'étrangler.

Là, sur le mur de Jared Lowell, était affiché un papillon.

Plus précisément, le papillon *Tisiphone Abeona*.

Ce motif nous poursuivait. Je l'avais vu sur une tombe derrière la maison de la femme chauve-souris. Je l'avais vu sur la porte de la chambre d'hôpital de Rachel. Je l'avais vu sur une photo de hippies datant des années 1960. Je l'avais vu sur un vieux cliché de Lizzy Sobek, la jeune fille qui avait sauvé de l'Holocauste des enfants. Je l'avais vu sur ce qui était peut-être la tombe de mon père, au dos d'une photo dans la cave de la femme chauve-souris, et même tatoué sur le dos d'Ema.

— On n'a pas le choix, a-t-elle repris. On doit le retrouver.

Pendant un instant, nous sommes restés là à contempler le papillon. De nouveau, j'ai humé le parfum d'Ema et senti mon sang battre dans mes veines. Nos regards se sont accrochés. Rien n'a été dit. C'était inutile.

C'est alors que mon portable a sonné.

Notre contact visuel s'est brisé comme une brindille. Ema a détourné la tête. J'ai regardé l'écran de mon mobile. Appelant inconnu.

— Allô ?

Un homme a demandé :

— C'est bien Mickey Bolitar ?

Dans la voix grave et sérieuse, j'ai cru déceler comme un frémissement de peur.

— Oui, c'est moi.

— Ici M. Spindel, le père d'Arthur.

Il m'a fallu une seconde pour le situer, puis j'ai senti mon pouls accélérer. J'avais toujours appelé Arthur Spindel « Spoon ». Son père, que j'avais en ligne, était le concierge du lycée de Kasselton.

— Spoon va bien ? ai-je aussitôt demandé.

M. Spindel n'a pas répondu à ma question.

— Savez-vous où je pourrais trouver Emma Beaumont ?

— Elle est juste à côté de moi.

— Pourriez-vous passer à l'hôpital, tous les deux ?

— Bien sûr. Quand ?

— Dès que possible, a répondu M. Spindel avant de raccrocher.

8

Niles nous a conduits au centre hospitalier Saint Barnabas. Dès qu'il nous a déposés devant la porte, nous nous sommes précipités vers le bureau d'accueil dans le hall.

— Cinquième étage, nous a annoncé la réceptionniste. L'ascenseur est sur votre droite. Suivez les panneaux indiquant l'USI.

Spoon était donc encore en soins intensifs. Je me suis forcé à refouler mes larmes.

Nous nous sommes dirigés vers l'ascenseur, et j'ai appuyé plusieurs fois sur le bouton, comme pour lui signifier que nous étions pressés. Il a pourtant pris tout son temps pour arriver. Quand nous avons bondi à l'intérieur, trois autres personnes sont montées qui, bien sûr, s'arrêtaient toutes avant nous. J'ai eu envie de leur hurler dessus.

Au cinquième, M. Spindel nous attendait, vêtu de son uniforme beige de concierge, avec son nom imprimé au pochoir sur la poche de poitrine. C'était un homme maigre avec de grandes mains et l'air habituellement jovial. Mais là, il ne souriait pas.

— Par ici, nous a-t-il dit.

Alors que nous lui emboîtions le pas, Ema a demandé :

— Comment va Spoo... je veux dire, Arthur ?

— Pas de changement.

À ces mots, le silence est tombé dans le couloir. La dernière fois que nous l'avions vu, Spoon n'avait plus de sensations dans les jambes. Il était paralysé à partir de la taille.

Pas de changement.

Au bout du corridor, j'ai aperçu Mme Spindel, assise sur une chaise. J'ai repensé à la première image que j'avais eue d'elle, le jour où j'avais déposé Spoon chez lui, quelques semaines plus tôt. Elle avait accueilli son fils à la porte avec une joie non dissimulée. Son visage s'était illuminé quand elle l'avait serré dans ses bras. En cet instant, on aurait dit que quelqu'un avait éteint cette lumière. Elle avait les joues creusées, les cheveux plus gris.

Elle m'a lancé un regard sinistre. La dernière fois que j'étais venu à l'hôpital, elle m'avait dit en des termes dénués d'ambiguïté que j'étais responsable de ce qui était arrivé à son fils chéri. Manifestement, elle n'avait pas changé d'avis.

— Ma femme pense que ce n'est pas une bonne idée, a expliqué M. Spindel.

Ça se passait de commentaire.

Nous nous sommes approchés d'une grande porte.

— Entrez, tous les deux, a-t-il repris. Je vous attends ici.

J'ai lentement poussé la lourde porte. Spoon était assis dans son lit, entouré de tubes et de machines qui bipaient. Il paraissait minuscule dans ce grand lit d'hôpital : un petit maigrichon à grosses lunettes perdu au milieu de tant d'horreurs.

Dès qu'il nous a vus, son visage s'est fendu d'un immense sourire. L'espace d'une seconde, tout le reste a disparu dans la chambre.

— Vous saviez que Babe Ruth portait une feuille de chou sous sa casquette de base-ball ?

Ema et moi n'avons rien dit.

— Pour de vrai, a insisté Spoon. Quand il faisait chaud, il la mouillait et ça le rafraîchissait. Il la changeait toutes les deux manches.

Je n'ai pas pu me retenir, je me suis précipité vers lui en essayant de ne pas pleurer. De nature, je ne suis pourtant pas un pleurnichard. Mais alors que je le prenais dans mes bras aussi doucement que possible, j'ai senti des larmes me picoter les paupières.

— Mickey ? Qu'est-ce que... ?

J'ai fermé les yeux très fort en tentant de me maîtriser. Il fallait que je sois fort. Pour Spoon. J'étais son grand copain costaud. Je me suis rappelé notre première rencontre, quand il m'avait dit que j'étais Shrek et qu'il était l'Âne. J'étais son protecteur.

Et je n'avais pas été à la hauteur.

J'étais nul. Je me suis mis à sangloter.

— Mickey ?

— Je suis désolé, je te demande pardon.

— De quoi ?

J'ai secoué la tête en m'accrochant à lui.

— De quoi ? a-t-il répété. Ce n'est pas toi qui m'as tiré dessus, si ?

— Non.

— C'est bien ce que je pensais. Donc, pourquoi tu me demandes pardon ?

Je l'ai lâché et l'ai dévisagé pour voir s'il se moquait de moi, mais il paraissait sincèrement étonné.

— C'est quand même ma faute, ai-je dit.

Spoon a froncé les sourcils.

— Et pourquoi ça ?

— Tu es sérieux ?

— Comme une crise cardiaque.

Il s'est mis à rire.

— Mon vieux, j'ai toujours voulu placer cette réplique. Sérieux comme une crise cardiaque. Sauf que ce n'est pas très drôle, surtout ici. M. Corto, au bout du couloir, a eu une crise cardiaque, c'est pour ça qu'il est à l'hôpital. J'ai rencontré sa femme. Une dame très gentille. Elle est allée à l'école avec Tippi Hedren, vous savez, l'actrice ? Celle qui jouait dans *Les Oiseaux*. C'est dingue, non ?

Comme je ne disais rien, Spoon m'a souri.

— Tout va bien, Mickey.

J'ai secoué la tête.

— C'est moi qui t'ai entraîné là-dedans.

Spoon a remonté ses lunettes sur son nez.

— Ah bon ?

J'ai lancé un coup d'œil à Ema, qui a haussé les épaules, puis je me suis retourné vers Spoon.

— Tu te fiches de moi ?

— Non. Et, excuse-moi de te le dire, Mickey, mais tu te surestimes.

— Pardon ?

— Tu n'es pas si fort que ça. Ce n'est pas toi qui m'as forcé à faire les choses. J'ai fait mes propres choix. Je suis un homme libre.

Il a adressé un clin d'œil à Ema.

— C'est pour ça que les filles m'adorent, hein ?

Ema a levé les yeux au ciel.

— Ne m'oblige pas à te frapper.

Spoon a éclaté de rire. Je suis resté sans réaction.

— Tu n'es pas le seul à avoir été choisi par la femme chauve-souris, a-t-il repris. D'accord, tu es plus ou moins notre chef. Mais nous formons une équipe. Nous faisons tous partie d'Abeona : toi, moi, Ema, et aussi Rachel. Est-ce qu'on peut y échapper ? En tout cas, moi, je ne peux pas. Mes jambes ne fonctionnent plus pour le moment. Mais même dans le cas contraire, je crois que je ne pourrais pas. Et ça n'a rien à voir avec toi, Mickey. Tu n'as rien à te reprocher.

— Eh ben !

— Quoi ?

— Pour une fois, ce que tu dis a du sens.

Spoon a haussé un sourcil.

— Je suis un garçon plein de surprises.

Nouveau clin d'œil à Ema.

— Ça aussi, les filles adorent.

Ema a brandi le poing vers lui, et Spoon a rigolé de plus belle. Une fois calmé, il a ouvert les bras et dit :

— Alors ?

— Alors quoi ?

— Alors, à votre avis, pourquoi ai-je dit à mon père que je devais vous voir ? On sauve des enfants. La mission ne s'arrête pas parce que j'ai été blessé. Donc, qui est le prochain à sauver sur la liste ?

— Toi, tu te reposes, ai-je dit. Tu dois te concentrer sur ta guérison.

Il m'a ignoré et s'est tourné vers Ema.

— Un mec que j'ai rencontré sur un forum de discussion, lui a-t-elle répondu.

— Ton petit copain ?

— Plus ou moins.

— Je me fais tirer dessus, et tu t'intéresses déjà à un autre ?

— Je ne sais pas ce qui me retient de...

Spoon a de nouveau remonté ses lunettes.

— Parle-moi de lui.

C'est ce qu'elle a fait. Spoon opinait du chef. À aucun moment il n'a douté. N'a porté de jugement. Il s'est contenté d'écouter. Au point que je me suis demandé qui était en réalité le leader de ce groupe. Ema terminait son histoire quand une infirmière est entrée et nous a dit qu'il était temps de partir.

— J'ai mon portable, a dit Spoon. Je vais nous trouver tout ce que je peux sur ce Jared Lowell.

9

J'ai décidé de rentrer chez moi à pied : je voulais vérifier quelque chose.

Tentant de m'éclaircir les idées, j'ai traversé l'avenue Northfield puis tourné au carrefour suivant. J'avais une destination en tête, même si, d'une certaine façon, elle n'existait plus : la maison de la femme chauve-souris.

Je sais bien que je ne devrais plus l'appeler comme ça. La femme chauve-souris, c'était le nom que les gamins de la ville avaient donné à la vieille folle effrayante qui vivait dans la vieille baraque effrayante. Ils se chuchotaient des histoires sur elle et en avaient peur.

Mais la femme chauve-souris n'était pas folle. Ou peut-être que si, mais une chose était sûre : elle n'était pas ce que ces gamins avaient imaginé. En un sens, la réalité derrière la femme chauve-souris était encore plus angoissante.

De la maison décrépite qui s'était dressée là pendant plus d'un siècle, il ne restait plus que des ruines. Elle avait été incendiée la semaine précédente. Je me trouvais à l'intérieur à ce moment-là et m'en étais tiré de justesse. Pourquoi cet homme avait-il essayé de me brûler vif ? Mystère. Je ne l'avais rencontré qu'une fois auparavant.

C'était l'ambulancier qui m'avait annoncé la mort de mon père.

Je me suis arrêté devant les vestiges de la maison. Le périmètre était entouré d'un ruban jaune. Cela signifiait-il qu'il était considéré comme une scène de crime ? Que les autorités avaient découvert qu'il s'agissait d'un incendie criminel et non d'un accident ?

J'ai repensé au jour où tout avait commencé, quelques semaines plus tôt. Je me dirigeais vers mon nouveau lycée, bien tranquille, et, au moment où j'étais passé à cet endroit précis, la porte de la vieille maison s'était ouverte dans un grincement.

La femme chauve-souris m'avait interpellé :

— Mickey ?

Je ne l'avais jamais vue avant et j'ignorais comment elle connaissait mon nom.

Pointant vers moi un doigt décharné, elle avait prononcé les mots qui avaient changé ma vie :

— Ton père n'est pas mort. Il est bien vivant.

Puis elle avait disparu à l'intérieur.

J'avais cru que ce cercueil me livrerait des réponses. En réalité, il ne menait qu'à de nouvelles interrogations.

J'ai contemplé les décombres, entourés de pancartes ACCÈS INTERDIT et PROPRIÉTÉ PRIVÉE – DÉFENSE D'ENTRER.

Et maintenant, quoi ?

Il existait des tunnels secrets sous la maison. Avaient-ils été détruits dans l'incendie ? J'en doutais. J'ai essayé de me rappeler la dernière fois – la seule, en fait – où je les avais empruntés. On y accédait par le garage, au milieu de la forêt. Je savais aussi qu'il y avait d'autres passages souterrains, peut-être même tout un labyrinthe.

Que je n'avais pas pu inspecter.

Est-ce que tout avait disparu ? Ou restait-il des indices là-dessous ?

J'ai envisagé de m'introduire dans le garage pour aller explorer les tunnels, mais le moment était mal choisi. Pour commencer, il y avait tous ces panneaux d'interdiction. Et puis, je risquais de me faire repérer par les voisins. Un homme tondait sa pelouse. Une femme promenait son chien. Deux petites filles dessinaient à la craie par terre. Je songeais à faire un grand tour pour essayer d'entrer dans le bois par-derrière, quand j'ai entendu un doux bruit qui avait toujours le don d'éveiller mon attention.

Les tunnels allaient devoir attendre.

Quelqu'un faisait rebondir un ballon de basket.

Ce son m'attirait. C'était plus fort que moi. Il était à la fois apaisant, réconfortant et aussi envoûtant qu'un sortilège. Si quelqu'un fait rebondir un ballon de basket et que vous avez envie de le rejoindre, vous serez toujours le bienvenu. C'est la règle. On peut faire un contre un avec lui. On n'a pas besoin de se connaître. Ni d'avoir le même âge, le même sexe ou le même niveau de jeu. Rien de tout ça n'a d'importance quand quelqu'un fait rebondir un ballon de basket.

En me rapprochant de l'origine du bruit, j'ai deviné que c'était quelqu'un qui s'entraînait seul. Deux dribbles. Un tir. Deux dribbles. Un tir. D'après la vitesse, j'aurais dit qu'il s'exerçait aux mouvements en poste bas. Les sons étaient trop rapprochés pour des tirs extérieurs. Si vous jouez, alors vous me comprenez.

Quand j'ai tourné au coin de la rue, j'ai découvert le

cocapitaine de mon équipe, Brandon Foley, en train de faire des tirs en bras roulé. Je me suis immobilisé pour le regarder. Trois tirs à gauche, puis trois à droite, puis de nouveau trois à gauche. Il marquait presque à tous les coups. Son visage luisait de sueur. Il était concentré, absorbé dans le plaisir pur de l'exercice, mais je lisais aussi autre chose dans son attitude, quelque chose de plus profond et de moins joyeux.

— Hé ! ai-je appelé.

Quand Brandon s'est retourné, j'ai vu que ce n'était pas de la sueur qui lui couvrait le visage.

C'étaient des larmes.

— Qu'est-ce que tu fais ici ?

— Je passais quand j'ai entendu dribbler. Écoute, je suis désolé pour ce que je t'ai dit après l'entraînement. J'apprécie que tu sois venu me parler.

Il m'a tourné le dos et s'est remis à jouer.

— Laisse tomber.

Je l'ai regardé tirer pendant une minute. À aucun moment il n'a ralenti ou ne s'est interrompu.

— Qu'est-ce qu'il y a ? lui ai-je demandé.

Brandon a dribblé et tiré. Le ballon est entré dans le panier sans toucher le cercle avant de rouler plus loin. Aucun de nous deux n'est allé le chercher.

— Tout s'effondre.

— De quoi tu parles ?

— De toutes ces années, de toutes ces équipes dans lesquelles on a joué pour arriver à cette saison. Et maintenant… c'est foutu.

Je n'ai rien dit. Je devinais que la scène que j'avais surprise dans les vestiaires n'était pas étrangère à son humeur sombre, mais je ne voulais pas révéler ce que j'avais vu.

76

— Tout se passait très bien, a-t-il repris. On avait tous tellement bossé, on s'était tellement préparés, et aujourd'hui, lors de ton premier jour dans l'équipe...

Il n'a pas fini sa phrase. C'était inutile. Son regard assassin parlait pour lui.

— Attends, qu'est-ce que tu me reproches ?

Brandon est allé récupérer le ballon avant de recommencer à tirer.

— Qu'est-ce qui s'est passé ? ai-je insisté.

— C'est Troy et Buck.

Mes deux ennemis jurés.

— Qu'est-ce qu'ils ont ?

— Ils ont quitté l'équipe.

— Quoi ?

— Tu as bien entendu. Troy était notre meilleur marqueur. Buck notre meilleur défenseur. Ils sont partis tous les deux.

— Pourquoi ?

— Qu'est-ce que ça peut te faire ?

Il a effectué un nouveau tir.

— Tu dois être content. Ça libère deux postes pour toi.

Je me suis approché du panier, et j'ai rattrapé le ballon.

— Je voulais gagner ma place, pas être sélectionné par défaut.

Détournant le regard un instant, Brandon a lâché une longue expiration et s'est essuyé le visage avec l'avant-bras.

— Désolé, a-t-il dit d'une voix radoucie. Je m'en prends à toi, mais je sais que tu n'y es pour rien.

— Qu'est-ce qui s'est passé ?

— Buck a déménagé.

— Là ?

Brandon a hoché la tête.

— Ses parents ont divorcé quand on était en primaire. Il vivait avec son père et son frère, mais ses parents viennent de décider qu'il devait aller habiter chez sa mère.

— Comme ça ? Deux mois après la rentrée ?

— Apparemment. Je n'en sais pas plus. Je n'étais au courant de rien.

D'un certain côté, je m'en réjouissais, bien sûr. Je détestais Buck, et c'était réciproque. Mais ça paraissait tout de même injuste.

— C'est pour ça qu'il n'était pas à l'entraînement ?

— Oui.

— Et Troy ?

Brandon a levé la main, m'invitant à lui faire une passe. Il a rattrapé le ballon, dribblé une fois et smashé.

— Il est suspendu pour la saison.

— Pourquoi ?

— Usage de stéroïdes.

J'en suis resté bouche bée.

— Il s'est fait prendre au contrôle antidopage ?

— Oui.

— Ouah…

Maintenant, je comprenais le sens de ce que j'avais vu dans le vestiaire. Le coach Grady venait sans doute d'apprendre la nouvelle à Troy.

— Il jure qu'il n'a jamais pris ce genre de trucs. D'après lui, c'est un coup monté.

Je me suis rappelé l'avoir entendu adopter cette ligne de défense devant Stashower.

— Comment ce serait possible ?

— Je ne sais pas.

— Et qui ferait ça ? Les contrôles ont l'air plutôt réglos.

— Je sais.

Brandon m'a lancé le ballon. J'ai tiré.

— Tu crois Troy ? lui ai-je demandé.

Il a pris le rebond et m'a renvoyé le ballon. J'ai de nouveau tiré, attendant sa réponse. Il paraissait ruminer la question.

— Troy a beaucoup de défauts, a-t-il fini par dire. Je sais qu'il est parfois… enfin… un peu brut de décoffrage. Je sais qu'il peut même se montrer violent. Mais menteur ? Et dopé ?

On s'est arrêtés et on s'est regardés.

— Ouais, a repris Brandon. C'est dingue, mais je crois Troy.

10

J'aurais voulu retourner à la maison de la femme chauve-souris le soir même, mais j'avais un problème : trop de devoirs. Je n'avais pas ouvert un livre depuis plusieurs jours, et si je ne rendais pas le DM d'histoire et que je ne révisais pas mon contrôle de maths, je risquais d'avoir de gros ennuis. Après avoir éteint mon portable, je me suis donc installé à la table de la cuisine et mis au boulot.

En première heure le mardi, j'avais cours d'histoire avec ma prof préférée, Mme Friedman. La place de Rachel était vide. Je ne savais pas trop qu'en déduire, même si ça ne me surprenait pas. Il y avait eu une fusillade chez elle. Sa mère était morte, et Rachel avait fini à l'hôpital, blessée par balle. Heureusement, la blessure s'était révélée sans gravité. Physiquement, elle allait bien. Psychologiquement, c'était une autre histoire.

C'est moi qui lui avais appris la vérité. Son père m'avait exhorté à ne pas le faire, mais Myron m'avait conseillé le contraire. D'après lui, quand on ment à quelqu'un, le mensonge reste toujours entre cette personne et nous – il hante à jamais la relation. Pour finir, j'avais écouté mon oncle.

Rachel et moi ne nous étions pas reparlé depuis, et si c'était à refaire... je ne sais pas ce que je ferais.

À la cafèt, l'humeur était particulièrement sombre ce jour-là. Ema et moi étions assis à notre table attitrée, autrement appelée « Loserville ». Il y avait de la place pour douze, mais nous n'étions que deux. D'habitude, nous étions trois, et, à la vue de la chaise vide de Spoon, j'ai ressenti un pincement au cœur.

— Moi aussi, je m'inquiète pour lui, a dit Ema. Mais ça ne lui plairait pas de nous voir déprimer et nous lamenter sur son sort.

Elle avait sans doute raison. J'ai repensé à notre première rencontre, dans cette même cafétéria. Il s'était avancé vers moi et m'avait proposé sa cuillère pour une raison qui m'échappait encore aujourd'hui. Dans ma tête, il était devenu « le mec à la cuillère », Spoon, pour faire court. Le surnom lui avait plu, et il avait insisté pour l'adopter de manière définitive. Désormais, quand on l'appelait Arthur, il ne répondait pas.

Les tables des élèves jugés les plus populaires (pour je ne sais quelles raisons débiles) ressemblaient généralement à des ruches. Les blousons de l'équipe de foot y côtoyaient les crinières blondes méchées ; on parlait fort, on riait fort et on se tapait dans les mains avec enthousiasme. Mais pas aujourd'hui. Troy était là, pourtant, présidant en bout de table comme à l'ordinaire, sauf qu'il ne disait pas un mot. L'humeur des autres était au diapason. En réalité, la cafèt semblait en deuil, comme si elle pleurait en silence la chute de son leader.

— L'atmosphère est complètement plombée, a fait remarquer Ema.

Elle et moi étions toujours sur la même longueur d'onde.

— Tu trouves ? ai-je dit, haussant un sourcil ironique.

Je n'étais pas suicidaire au point de sourire ou de m'esclaffer, mais je ne voulais pas non plus être hypocrite. J'avais de très bonnes raisons de détester Troy, et les événements récents ne me feraient pas changer d'avis. OK, c'était dur de renoncer à une saison de basket, surtout celle-là, la dernière qu'il aurait pu partager avec ses copains. Mais certains d'entre nous n'avaient jamais eu de groupe d'amis avec qui jouer. Certains d'entre nous n'avaient jamais eu ce genre d'opportunités à gâcher.

Il ne m'inspirait absolument aucune pitié.

Troy avait triché en absorbant des produits dopants. Je n'étais pas convaincu par la défense de Brandon. Les athlètes disent toujours la même chose quand ils se font prendre : c'est pas moi, c'est une erreur, c'est un coup monté. J'aurais sûrement plus d'admiration pour Troy s'il avouait. Peu importait. Ce n'était pas mon problème.

D'ordinaire, la table de Troy était pleine, mais aujourd'hui il y avait une place libre à côté de lui : celle de Buck, qui passait son temps à me lancer des regards méprisants, remuait les lèvres pour signifier que j'étais « un homme mort » et faisait le geste de se trancher la gorge pour plus d'effet. Puis il trouvait une nouvelle façon cruelle de se moquer d'Ema, en l'appelant « la grosse » ou en se mettant à meugler – le crétin classique qui tyrannise les autres par manque de confiance en soi. Lui non plus ne me manquerait pas.

Il n'empêche que je trouvais ça bizarre.

Troy et Buck étaient inséparables depuis la maternelle. Et soudain, à quelques jours d'intervalle, Troy était impliqué dans une histoire de dopage, et Buck déménageait.

Je m'apprêtais à manger quand je me suis aperçu que le niveau sonore avait encore diminué – il n'y avait plus un bruit dans la cafèt, comme si tout le monde avait décidé de retenir son souffle en même temps.

Puis j'ai entendu Ema s'exclamer :

— Ouah !

Levant la tête, j'ai ressenti l'habituel coup au cœur : Rachel Caldwell venait d'entrer dans la salle.

Plusieurs raisons expliquaient ce silence. Pour commencer, c'était la première fois qu'elle revenait au lycée depuis la fusillade. Ç'avait été notre dernière... comment dire ?... notre dernière affaire pour le refuge Abeona. Nous l'avions résolue, mais la conclusion demeurait un secret très bien gardé.

Je ne l'avais même pas révélée à Ema.

Ce qui me donnait mauvaise conscience. Ema et Spoon avaient mobilisé toutes leurs forces et même risqué leur vie. Ils étaient mes meilleurs amis, et je m'en voulais de ne pas être tout à fait franc avec eux, surtout avec Ema, mais dans ce cas précis, ce n'était pas à moi de révéler la vérité. C'était à Rachel. Si je parlais à Ema, je trahissais Rachel. Mais ne pas le dire à Ema...

J'espérais qu'à la fin Ema comprendrait. Mais je n'étais sûr de rien.

Je n'avais pas revu Rachel depuis le jour de mon départ en Californie, quand j'avais sonné à sa porte et fait voler en éclats son univers.

Deuxième raison du silence général : Rachel était populaire. Capitaine de l'équipe des pom-pom girls, c'était la fille la plus sexy du lycée, celle dont tout le monde parlait – vous voyez le genre. Les filles comme elle attirent l'attention.

Troisième raison : Rachel et Troy étaient sortis ensemble – rien que d'y penser, j'en avais la nausée. Rachel m'avait expliqué qu'elle était jeune et idiote et que c'était fini depuis longtemps, mais j'estimais que c'était à Troy qu'elle aurait dû l'expliquer un peu plus clairement.

D'ailleurs, elle n'est pas venue nous dire bonjour, à Ema et moi, mais s'est dirigée vers la table de Troy. Elle a pris la place de Buck – à côté de lui, donc – et lui a adressé un sourire un peu triste.

Je me suis senti bouillir.

— Arrête, a murmuré Ema.

— Quoi ?

— Troy vient de se faire virer de l'équipe de basket. C'est normal qu'elle soit un peu sympa avec lui, tu ne crois pas ?

Non, je ne croyais pas. Mais la question n'était pas là. Rachel ne nous avait même pas adressé un regard. Ema ne pouvait pas savoir pourquoi, mais moi, si. Myron m'avait prévenu que révéler la vérité aurait un coût.

Elle m'évitait. J'ignore quel conseil on pourrait me donner à ce propos. Sans doute de lui laisser du temps. Je lui en avais déjà laissé. Pas beaucoup, d'accord. Mais suffisamment. De plus, j'avais appris que « laisser du temps » signifiait souvent « du temps pour laisser pourrir la situation ».

Je devais parler à Rachel. Le plus tôt possible.

11

Je me suis arrangé pour passer devant le casier de Rachel entre chaque cours, espérant l'y trouver. Finalement, je l'y ai vue au dernier interclasse, mais elle n'était pas seule : toutes ses copines pom-pom girls et tous les gens populaires du bahut avaient accouru pour l'accueillir à son retour et l'assurer de leur soutien.

Je ne les connaissais pas. Ils ne me connaissaient pas.

Au début, comme j'étais nouveau, j'avais suscité la curiosité. Ma taille aussi attirait l'attention, et je commençais peut-être à avoir une petite réputation en tant que basketteur. Évidemment, j'avais perdu pas mal de points de popularité en choisissant de traîner avec Ema et Spoon. Si bien qu'à présent j'étais sans doute moins une curiosité qu'une bizarrerie.

En me voyant approcher, Rachel a secoué lentement la tête. J'ai bien reçu le message : reste à l'écart. J'aurais dû respecter son souhait, la saluer d'un signe et passer mon chemin.

Je ne l'ai pas fait. Je suis resté là et j'ai articulé en silence le mot : « Quand ? »

En réponse, elle a claqué la porte de son casier, m'a fusillé du regard, a tourné le dos et s'est éloignée.

Génial.

En dernière heure, j'avais instruction civique avec M. Nacht, un cours soporifique. Dès que la cloche a sonné, je suis retourné en vitesse vers le casier de Rachel, mais elle n'y était pas. J'ai continué jusqu'au mien. Même si mon entraînement ne commençait qu'une demi-heure plus tard, j'ai décidé d'aller tout de suite au gymnase pour m'entraîner au tir. En récupérant mon portable dans mon casier, j'ai vu que j'avais un message de Spoon.

Trouvé des infos sur Jared. Passe ce soir.

Puis un deuxième : **Les porcs-épics flottent dans l'eau.**

C'était bon à savoir, si jamais il m'avait pris l'envie de sauver un porc-épic de la noyade.

Premier arrivé sur le terrain, j'ai savouré l'écho solitaire de mes dribbles et de mes tirs. Puis les autres sont sortis petit à petit des vestiaires. Aucun n'est venu s'entraîner avec moi. Rien d'étonnant à cela. D'habitude, il y avait des bousculades, des blagues et des rires. Pas aujourd'hui. Le gymnase était aussi silencieux qu'une tombe – ou que la cafêt un peu plus tôt dans la journée. On entendait uniquement les ballons qui rebondissaient.

À 16 heures, le coach Grady a donné un coup de sifflet et crié à tout le monde de s'asseoir. Brandon et un autre gars que je ne connaissais pas ont déplié les gradins mobiles et bancals, en forme d'accordéon, qu'on trouve dans presque tous les gymnases. Et nous nous sommes installés.

Grady semblait avoir vieilli de dix ans dans la nuit. Il a fait les cent pas pendant un moment. Derrière lui, un porte-bloc à la main, Stashower attendait.

— On nous a mâché le travail, a déclaré le coach. Comme la plupart d'entre vous le savent déjà, Troy a été suspendu. Il a le droit de faire appel, ce qu'il a fait, mais jusqu'à nouvel ordre il lui est interdit de s'entraîner et de jouer avec l'équipe. Troy était notre cocapitaine. En son absence, qui durera toute la saison si la décision n'est pas invalidée en appel – et franchement, personne n'a jamais gagné en appel jusqu'ici –, Brandon sera notre seul capitaine.

Tous les regards se sont tournés vers ce dernier, qui a gardé la tête haute, le visage fermé.

— Pour ne rien arranger, la famille de Buck a décidé qu'il valait mieux qu'il parte vivre chez sa mère. Ce qui signifie que deux terminales, qui étaient tous deux titulaires et essentiels dans l'équipe de l'année dernière, ne joueront pas cette saison. Je ne crois pas avoir besoin de vous expliquer le coup terrible que ça représente pour nous.

Le coach a rajusté sa casquette et poussé un long soupir.

— Mais la victoire sort souvent de l'adversité. Nous pouvons baisser les bras ou relever le défi. Pour beaucoup d'entre vous, il y a là une opportunité de progresser. Pour nous en tant qu'équipe, ces obstacles peuvent être fatals – ou, au contraire, renforcer notre cohésion. À nous de choisir : faire bloc ou disparaître.

Le pied sur le premier gradin, il a posé un coude sur son genou et pris quelques secondes pour examiner nos visages.

— Je crois en chacun de vous. Je crois en cette équipe. Et je crois encore que nous pouvons réaliser de grandes choses cette saison.

Silence total.

— Bon, les gars, faites trois tours de terrain et commencez par des *criss-cross*. Allez, au boulot.

Il a tapé dans ses mains, et nous nous sommes tous levés.

L'entraînement s'est mal passé. Si j'espérais que l'éviction de Troy arrangerait mes affaires, je me trompais lourdement. Mes coéquipiers semblaient furieux contre moi, comme si j'étais responsable. Ils m'excluaient du jeu, m'envoyaient des ballons dans les pieds. Il y en a même un qui m'a balancé un coup de coude. Je me suis accroché et donné à fond, mais une partie de moi avait envie de tout abandonner.

À la fin de la séance, j'étais lessivé et en nage, mais pas question de m'attarder avec eux une seconde de plus que nécessaire. J'allais sortir quand Brandon m'a rattrapé en courant.

— Mickey ? Il faut que je te parle.

— Euh… là, tout de suite ?

— On va attendre que les autres soient partis. Je préfère éviter qu'ils nous voient. Douche-toi, habille-toi, prends ton temps.

C'est ce que j'ai fait. Une fois encore, tous les gars m'ont évité, sauf pour me fusiller du regard. Une demi-heure plus tard, il ne restait que Brandon et moi dans les vestiaires.

— Je t'écoute, lui ai-je dit.

Brandon a jeté un œil à gauche, puis à droite.

— Pas ici, a-t-il murmuré. Suis-moi.

— Où ?

— Suis-moi.

Il a ouvert la porte et s'est engagé dans le couloir silencieux. Ça ne me disait rien qui vaille. Les joueurs et les entraîneurs étaient partis. De même que tous les profs. Le bruit de nos pas a résonné dans le hall désert.

— Tu comprends ce qui se passe, hein ?

— À propos de quoi ?

— Des gars de l'équipe qui te font la gueule.

— Non.

— Réfléchis.

J'ai eu beau me creuser les méninges, je ne voyais toujours pas.

— Tu intègres l'équipe et, pile à ce moment-là, Troy est contrôlé positif.

— Et alors ? Attends… ils croient que j'ai quelque chose à voir là-dedans ?

Brandon a hoché la tête.

— On connaît tous Troy depuis des années. Il n'a pas que des qualités, mais il ne se dope pas.

— Qu'est-ce qu'ils s'imaginent ? Que j'ai trafiqué ses échantillons d'urine ou un truc comme ça ?

Brandon s'est arrêté et m'a regardé.

— Tu l'as fait ?

— Tu délires ?

— Tu l'as fait ?

— Bien sûr que non ! Franchement, même si j'avais voulu, je ne vois pas comment j'aurais pu.

Brandon a haussé les épaules.

— Tu as tes entrées dans le lycée.

— Qu'est-ce que tu racontes ?

— Tout le monde sait que tu es ami avec le fils du concierge, le gars bizarre.

J'étais sur le point de défendre Spoon, quand l'évidence m'a frappé : Spoon était bizarre. Merveilleusement bizarre, peut-être, mais bizarre tout de même.

— Il a les clés, non ? Il aurait pu te faire entrer dans le lycée.

— Pour falsifier des contrôles antidopage ? C'est grotesque.

91

— Tu trouves ? Vous étiez pourtant bien là quand les dealers de drogue se sont fait arrêter la semaine dernière ? Le fils du concierge s'est bien fait tirer dessus ?

— Oui, mais…

— Plein de trucs dingues sont arrivés dans cette ville depuis que tu as emménagé, et comme par hasard, Mickey, tu te retrouves toujours au milieu.

Nous étions dans un couloir obscur. Tout ça ne me plaisait décidément pas.

— Où est-ce qu'on va, Brandon ?

— On y est presque.

Quand on a atteint le bout du couloir, j'ai entendu une voix familière :

— Salut, Mickey. Merci d'être venu.

C'était Troy.

12

J'ai fait deux pas en arrière en me demandant comment réagir.

Je pouvais partir en courant. Ou alors, je pouvais rester et me battre. Ça ne me faisait pas peur. Je savais me défendre, sauf que là, ce serait à deux contre un, au minimum – ils avaient peut-être prévu des renforts à proximité. Je pouvais aussi m'en prendre à l'un des deux, frapper un grand coup puis détaler.

Mais ni Troy ni Brandon ne semblaient vouloir m'agresser. Ils ont échangé un coup d'œil, avant de se tourner vers moi.

— Qu'est-ce que vous me voulez ? ai-je demandé.

— Il faut qu'on parle, c'est tout, a répondu Brandon.

— Vous allez encore m'accuser d'avoir piégé Troy ?

C'est Troy qui a répondu :

— Non, je n'y ai jamais cru une seconde.

Pour la première fois depuis qu'on se connaissait, il ne me regardait pas avec une franche hostilité. Il ne me disait pas que j'étais un homme mort. Il ne meuglait pas. Il ressemblait à un être humain.

— J'ai besoin de ton aide, Mickey.

— Moi ?

Brandon est intervenu :

— Tous les trucs dont je te parlais tout à l'heure, sur le fait que tu pouvais pénétrer dans le lycée. Sur les histoires auxquelles tu as été mêlé…

— Eh bien ?

Troy et Brandon ont échangé un nouveau coup d'œil.

— Tu es doué pour ce genre de choses.

— Qu'est-ce que tu racontes ?

— Allez, Mickey, a dit Troy. Mon père est le chef de la police ici, tu es bien placé pour le savoir.

Ça, c'était sûr. Le commissaire Taylor me détestait sans doute encore plus que son fils.

— Il m'a raconté que tu menais ta propre enquête quand cette fille, Ashley, a disparu. Que tu conduisais sans permis et que tu t'étais introduit dans une boîte de nuit à Newark. Je sais que tu as aidé Rachel à découvrir qui les avait agressées, sa mère et elle. Tu étais présent quand les dealers ont ouvert le feu ici, dans le lycée, et tu t'en es sorti comme un as.

Comme un as ? Avec Spoon à moitié paralysé à l'hôpital et Rachel en mille morceaux ?

— Je ne vois toujours pas où vous voulez en venir.

Troy s'est tourné vers Brandon, qui lui a fait signe de poursuivre.

— Tu es comme une espèce de jeune détective. Je ne sais pas. Mais j'ai besoin de ton aide.

— Mon aide pour quoi ?

— Pour prouver que je n'ai pas pris de stéroïdes.

— Moi ? Tu plaisantes, pas vrai ?

— Écoute-le jusqu'au bout, d'accord ? a dit Brandon.

— Je ne l'ai pas fait, Mickey. Je le jure.

Je n'en revenais toujours pas de ce que j'entendais.

— Premièrement, Troy, je ne te crois pas. Et quand bien même tu ne te serais pas dopé, tu n'as pas arrêté de me pourrir depuis que je suis arrivé ici. Tu t'en es pris à mes amis. Tu as même essayé de me blesser pendant l'entraînement.

— Je sais. Et je suis désolé.

— Ça ne suffit pas.

— Mickey ?

— Quoi ?

Troy a écarté les bras.

— On est coéquipiers, non ?

Je n'ai pas répondu.

— Entre coéquipiers, on s'entraide. C'est comme une famille. Eh oui, Mickey, ce sera peut-être toi la star, cette année. Tu marqueras peut-être même davantage de points que moi. Mais tu sais très bien que l'équipe aura plus de chances de gagner le championnat de l'État si j'en fais partie.

J'ai dansé d'un pied sur l'autre.

— Tout ça ne me concerne pas.

— Mickey, regarde-moi une seconde, OK ? Regarde-moi juste.

Je me suis exécuté.

— Je suis désolé, a répété Troy. Je t'ai charrié parce que tu es nouveau, que tu n'es qu'en seconde, et que j'étais peut-être un peu jaloux. Comprends-moi. Tu viens d'arriver, tu joues au basket comme un dieu, et ma copine passe déjà plus de temps avec toi qu'avec moi.

J'ai failli faire un commentaire sur ce dernier point, mais Brandon a secoué la tête, m'incitant à laisser courir.

— Bref, là, je te demande ton aide, a repris Troy.

— Pourquoi tu ne demandes pas à ton père ? Il est commissaire de police, tu viens de le dire toi-même.

— Il ne peut pas m'aider.

— Bien sûr que si.

— J'ai besoin de quelqu'un comme toi. Quelqu'un qui comprenne, qui fasse partie de l'équipe.

J'ai failli me laisser prendre à ce moment-là – à la mention de l'équipe. Puis je me suis rappelé ses menaces, la façon dont il avait brutalisé Spoon et lui avait arraché des mains l'ordinateur portable d'Ema, la manière dont il m'avait piégé et avait failli me faire virer de l'équipe, ses « meuh » et ses gloussements chaque fois qu'Ema passait près de lui à la cafétéria.

— Je suis désolé, a-t-il répété pour la troisième fois. (Il m'a tendu la main.) Si on repartait de zéro ?

— Il faut que j'y aille, ai-je répondu.

— Mickey… a commencé Brandon.

— Ce n'est pas mon combat, Brandon. Tout à l'heure, tu disais que je me retrouvais toujours au milieu des problèmes. Cette fois, je vais me tenir à l'écart.

J'ai fait volte-face et je me suis éloigné dans le couloir.

13

Brandon m'a rattrapé quand je suis arrivé à la porte.

— Glaçant, a-t-il dit.

— Il fait au moins quinze degrés dehors.

— Ah, ah. Je parlais de la façon dont tu as jeté Troy.

— Tu rigoles, hein ? Tu étais présent quand il m'a balancé un ballon en pleine figure. C'était quand, déjà ? Ah oui ! Au dernier entraînement.

— Il était jaloux, il te l'a expliqué. Tu ne piges vraiment pas ? Tu as passé ta vie à voyager. Tu ne te rends pas compte de ce qui se passe dans une ville comme la nôtre. De tout ce que les gens attendent de nous. Troy était le meilleur basketteur de Kasselton. C'est le fils du commissaire de police. Il sort avec une fille sublime – oui, oui, je sais, tu ne la lui as pas piquée – et tout d'un coup, quelqu'un arrive et menace tout ça. Tu ne compatis pas un tout petit peu ?

J'y ai réfléchi une seconde.

— Il a été ignoble avec mes amis.

— Parce que ce sont des extensions de toi.

Encore une fois, il l'excusait.

— En plus, franchement, je ne vois pas ce que je pourrais faire. C'est à son père de l'aider.

— Son père ne veut pas.

— Pourquoi ?

— Parce qu'il ne le croit pas.

Cette révélation m'a surpris.

— C'est vrai. Même son propre père l'a lâché sur ce coup. Il pense que son fils a triché. Le commissaire Taylor voudrait que Troy essaie de réintégrer l'équipe par un autre moyen, en avouant et en affirmant que c'était la première fois qu'il commettait un délit. Mais Troy refuse. Il veut que la vérité éclate et que son nom soit blanchi.

Je n'avais rien à répondre à ça.

— Il y a aussi autre chose que tu devrais considérer, a ajouté Brandon.

— Quoi ?

— Que ça te plaise ou non, tes coéquipiers sont convaincus que tu as un lien avec la suspension de Troy.

— Mais même Troy sait que je n'y suis pour rien. Tu l'as entendu toi-même.

— Et il le dira peut-être aux autres. Mais peut-être pas. Il se demandera peut-être pourquoi tu as rejeté son offre de paix et pourquoi tu l'as repoussé. Et il finira peut-être par se convaincre que les autres avaient raison.

Je n'ai pas commenté.

— Tu vois ce que je veux dire ?

— Je crois. Ça ressemble beaucoup à du chantage. Aider Troy ou passer pour le mec qui l'a piégé.

— Tu vas trop loin. C'est plutôt aider Troy et passer pour le coéquipier avec qui on a envie de jouer. Le genre de coéquipier que les autres respectent et admirent. Le genre de coéquipier qui défend son capitaine, même dans les moments les plus critiques.

— Ouah !

— Quoi ?

— Pas étonnant que tu sois toujours élu délégué de classe.

Brandon a souri et posé la main sur mon épaule.

— Aide-le, Mickey. Aide-toi. Aide ton équipe.

Et parce que je suis le dernier des imbéciles, j'ai accepté.

14

Ema l'a mal pris.

— T'es malade ou quoi ?

Nous venions d'entrer à l'hôpital et nous dirigions vers la chambre de Spoon.

— Si tu voulais bien m'écouter une seconde…

— J'ai parfaitement entendu. Tu veux aider Troy Taylor ! Ce salaud de Troy Taylor ! (Elle a écarté les bras.) Il n'y aurait pas aussi un serial killer qui aurait besoin de notre aide tant qu'on y est ?

— Laisse tomber. Je me débrouillerai tout seul, OK ?

— Non, ce n'est pas OK du tout. On agit ensemble. C'est la règle. Et on a des problèmes plus urgents à régler, merci beaucoup.

— Tu parles de ton… (j'ai essayé de prononcer le mot sans paraître sarcastique)… de ton copain ?

— Tu es sarcastique, là ?

Bon, j'avais essayé.

— De toute façon, ce serait une perte de temps.

— Pourquoi ?

— Parce que Troy est coupable, et tu le sais.

— Beaucoup de gens pensent le contraire.

— Comme qui ? Brandon ? Écoute, Brandon est

peut-être très sympa, mais il a toujours été sous la coupe de Troy.

— J'ai peut-être besoin de le faire.

— Pourquoi besoin ?

— Pour mon propre intérêt.

— Explique-toi.

— Pour que mes coéquipiers me voient sous un nouveau jour.

Elle a cligné des paupières.

— Tu es sérieux ?

— Ils me détestent, Ema. Tous.

— Et qu'est-ce que tu t'imagines ? Qu'en aidant Troy, tous les mecs de l'équipe te trouveront cool ?

— Non.

— Parce que si tu veux paraître cool, le mieux, c'est de laisser tomber les gens pas cool qui t'entourent.

— Tu vas arrêter ?

Nous sommes montés dans l'ascenseur.

— Je ne comprends toujours pas, a repris Ema. Qu'est-ce que tu attends de tout ça ?

J'ai ouvert la bouche, l'ai refermée, puis j'ai fait une nouvelle tentative :

— Tu as une idée de ce que le basket représente pour moi ?

Ema a croisé mon regard et s'est rapprochée. J'ai senti quelque chose de chaud m'envahir.

— Oui, bien sûr.

— Dans une équipe, on ne peut pas être mis à l'écart. On ne peut pas être le paria assis tout seul à la table au fond.

— Comme moi, tu veux dire ?

— Non, je veux dire comme *nous*. Le basket est un sport collectif. C'est sa beauté. Je veux faire partie de ce collectif. C'est pour ça que j'ai souhaité que mes parents s'installent quelque part de manière permanente. Pour pouvoir jouer dans une véritable équipe. Pour savoir ce que ça fait d'appartenir à un groupe, avec tout ce qui va avec…

Je me suis arrêté, parce que l'émotion est montée d'un coup. Supposons que je n'aie pas voulu ça. Supposons que je me la sois fermée. Mon père serait-il encore en vie ? Ma mère aurait-elle évité de sombrer dans la drogue ?

Mon désir d'appartenir à une véritable équipe avait-il tout détruit ?

— Je sais que c'est ce que tu veux, Mickey, a dit Ema d'une voix très douce. Je le comprends. Mais aider Troy…

— … prouvera à tout le monde que je suis prêt à *tout* pour être un bon coéquipier.

Elle a secoué la tête, mais n'a pas argumenté.

Nous étions arrivés devant la chambre de Spoon. Comme il n'y avait personne alentour, j'ai toqué à la porte et l'ai ouverte. J'ai entendu la voix de notre ami :

— Tu savais que les fourmis s'étiraient en se réveillant le matin ?

J'ai souri. Ah, Spoon ! Je me suis demandé quelle infirmière ou quel médecin il régalait de ses informations bizarres, mais en voyant qui était là, je me suis arrêté net.

C'était Rachel.

Spoon nous a souri.

— Super, on est au complet.

Rachel a accueilli Ema d'une brève étreinte, mais s'est contentée d'un hochement de tête dans ma direction, avant de se détourner. Ema m'a lancé un regard

perplexe. D'habitude, Rachel était beaucoup plus amicale avec moi, mais évidemment, Ema ignorait tout
de notre dernière conversation.

— Tous les quatre, a repris Spoon. Savez-vous que
le chiffre quatre est censé porter malheur dans de nombreuses cultures d'Asie du Sud-Est ? C'est parce que
le mot « quatre » ressemble au mot « mort ».

Il a remonté ses lunettes sur son nez.

— Ça donne la chair de poule, non ?

Ema a soupiré et demandé :

— Tu as trouvé quelque chose sur Jared Lowell ?

Avant qu'il ait pu répondre, la porte s'est ouverte,
et une infirmière en blouse rose est entrée. Elle n'a
pas paru ravie de nous voir.

— Qu'est-ce que c'est que ça ?

Spoon a écarté les bras.

— Ma bande.

— Ta quoi ?

— Ma bande. Mes potes, mes copains, mes frangins…

— Ils font partie de ta famille proche ?

— Ils sont plus proches que ma famille. C'est mes
potes, mes copains, mes frangins, mes…

Mais l'infirmière n'allait pas se laisser embobiner.

— Tu n'as le droit de recevoir qu'un visiteur à la
fois en dehors de ta famille, Arthur, tu le sais.

Spoon a froncé les sourcils.

— Mais j'en ai eu deux, hier.

— C'est qu'ils n'ont pas respecté les règles. Deux
d'entre vous vont devoir sortir de la chambre immédiatement.

Nous nous sommes tous regardés, sans savoir quoi
faire. Spoon a pris les choses en main.

— Je vais vous parler à tous séparément, mais – et

j'espère que ces charmantes demoiselles n'y verront rien de sexiste – Mickey et moi devons d'abord avoir une conversation d'homme à homme.

Il m'a adressé un clin d'œil. Ema n'avait pas l'air contente. Je la comprenais : c'était avant tout elle qui désirait retrouver Jared Lowell.

— Je vais attendre, ai-je dit. Ema peut passer la première.

Spoon a secoué la tête.

— D'homme à homme. C'est important.

Il m'a lancé un regard appuyé, comme s'il voulait me transmettre un message. J'ai alors remarqué le bouton d'appel à côté de sa main droite, et je me suis demandé s'il l'avait pressé – et si ça expliquait la soudaine apparition de l'infirmière.

Celle-ci a tapé dans ses mains.

— Allez, mesdemoiselles, vous avez entendu monsieur. Laissons-les seuls pour leur discussion virile.

Elle a montré la porte et escorté Ema et Rachel dans le couloir.

Il ne restait plus que Spoon et moi.

— C'est toi qui as appelé l'infirmière ? ai-je demandé.

— Oui.

— Pourquoi ?

— Je voulais te montrer ce que j'avais trouvé avant d'en parler à Ema.

— Pourquoi ? C'est un faux profil, c'est ça ?

— Non, son copain Jared est bien réel. Peut-être même trop.

— Tu m'expliques ?

Spoon a appuyé sur un bouton près de son lit pour redresser le dossier.

— Jared Lowell réside dans le Massachusetts, sur une petite île du nom d'Adiona.

— Mensonge numéro 1.

— Pourquoi ?

— Il a dit à Ema qu'il vivait dans le Connecticut.

— C'est vrai. Plus ou moins. C'est pourquoi j'ai utilisé le mot « résider ». Jared Lowell est pensionnaire au lycée Farnsworth, un bahut huppé du Connecticut. Que des garçons. Qui doivent porter la veste et la cravate tous les jours. Tu imagines si j'étais là-bas ? Je ne pourrais plus me démarquer grâce à mes fringues. Au lycée, je passe pour un mec super looké, non ?

— Super looké ?

— Je suis stylé, tu ne trouves pas ?

Pour éviter qu'il ne s'égare, j'ai répondu :

— Si, je trouve.

— Bref, Jared Lowell a dix-sept ans et il est en terminale. Il a bien une page Facebook, mais il ne l'utilise pratiquement jamais, en tout cas il ne l'utilisait pas jusqu'à récemment. Après sa… euh… disparition… presque toutes les photos de sa page ont été retirées. Mais tu savais déjà tout ça, non ?

— Plus ou moins.

— Tu as vu des photos de lui ?

— Seulement celle du profil.

— Donc, tu ne sais sans doute pas qu'il est grand.

Je ne voyais pas en quoi ça nous intéressait.

— OK.

Spoon m'a regardé bien en face.

— Il mesure un mètre quatre-vingt-douze.

Ma taille, donc.

— OK.

— Ni qu'il joue au basket. Il est même le meilleur

marqueur de l'équipe de son lycée, avec une moyenne de dix-neuf points par match.

— OK.

— Ni que son père est mort et qu'il ne lui reste que sa mère.

J'ai arrêté avec mes « OK ».

— Tu ne trouves pas qu'il te ressemble ?

— Non, pas du tout.

— Il est plus beau que toi, d'accord. Toi, tu as plus ce que les femmes appellent un charme « brut ». Mais si, Mickey, il y a pas mal de similitudes.

— Où veux-tu en venir ?

— Nulle part. Je trouve seulement intéressant qu'Ema craque pour un type qui pourrait être... toi.

Je n'ai rien dit.

— Mickey ?

— Que veux-tu que je te réponde ? On est tous les deux grands et on joue au basket. Mais je ne fréquente pas un lycée privé huppé. Je suis en seconde, pas en terminale. Et je ne vis pas avec ma mère, puisqu'elle est en cure de désintox, comme tu le sais.

Spoon a acquiescé d'un mouvement de tête.

— Tout ça est vrai.

— Et pour moi, c'est toujours bidon. Tu es sûr de pouvoir confirmer que Jared Lowell existe ?

— Oui. J'ai trouvé des articles sur ses performances au basket, avec des photos et des statistiques.

— J'ai quand même du mal à y croire. D'après ce que tu viens de me dire, d'accord, il y a des points communs. Donc, quelqu'un, peut-être Troy ou Buck ou un crétin du même genre, a trouvé ce type sur le Net et créé une fausse page Facebook...

— Non.

— Pourquoi pas ?

— La page Facebook existe depuis quatre ans. C'est un peu compliqué à expliquer, mais son fournisseur d'accès d'origine était sur l'île d'Adiona, là où il vit. Et le compte a été utilisé. Pas beaucoup. Ce Jared n'est pas très branché Facebook. Mais un peu quand même, et ses *posts* ne sont pas des faux.

— Donc, Jared Lowell est bien réel.

— Oui.

— Et sa page Facebook est authentique ?

— Oui.

J'ai écarté les mains, paumes vers le ciel.

— Alors, où est-il, maintenant ?

Spoon a remonté ses lunettes.

— À première vue, il n'y a pas de grand mystère.

— C'est-à-dire ?

— C'est-à-dire que je n'ai pas trouvé d'articles ni d'infos évoquant une disparition. J'ai tendance à penser qu'il est dans sa pension. S'il avait disparu ou s'il avait été blessé, ça apparaîtrait quelque part sur Internet, tu ne crois pas ?

— Si.

— Tout ce dont on est sûrs, c'est qu'il n'utilise pas son compte Facebook en ce moment et qu'il a arrêté de communiquer avec Ema. Normalement, je dirais que ça ne nous concerne pas. Pour une raison ou pour une autre, il a décidé qu'Ema n'était pas pour lui, et il le lui a fait comprendre d'une manière pas super élégante.

— Normalement.

— Ouais.

— Pourquoi on n'est pas dans un cas « normal » ?

— Parce qu'il n'y a rien de normal avec nous, Mickey, tu le sais.

Il n'avait pas tort.

— Et si presque toutes les photos ont disparu de sa page Facebook, il y en a une qui a été ajoutée depuis qu'il a coupé les ponts avec Ema.

— Le papillon Abeona.

— Exactement.

J'ai soupiré.

— Donc, on va devoir creuser.

— J'en ai bien l'impression. Sauf si…

— Si quoi ?

— On a des ennemis, pas vrai, Mickey ?

J'ai pensé à l'homme aux yeux verts et aux cheveux blond vénitien. Il avait emporté le corps de mon père après l'accident. Il avait incendié la maison de la femme chauve-souris, le QG du refuge Abeona, au moment où je me trouvais à l'intérieur.

— C'est sûr, ai-je répondu.

— Jared Lowell en est peut-être un. Cette histoire pourrait être un piège.

Spoon avait peut-être raison. Mais il m'a donné une autre idée.

— Tu te souviens de ça ?

Je lui ai tendu la vieille photo en noir et blanc. L'homme vêtu de l'uniforme des SS était le Boucher de Łódź, m'avait d'abord dit la femme chauve-souris – un monstrueux criminel de guerre qui avait tué des centaines, peut-être même des milliers de personnes durant la Seconde Guerre mondiale. Mais ce n'était pas vrai. Du moins pas totalement.

Le visage était celui de l'ambulancier aux yeux verts et aux cheveux blond vénitien.

Pendant longtemps, cette photo m'avait complètement déconcerté : comment un nazi de la Seconde

Guerre mondiale pouvait-il avoir embarqué mon père ? Mais parfois, la réponse est tellement simple qu'on n'y pense pas.

Grâce à Photoshop, le visage de l'ambulancier avait été plaqué sur le corps du Boucher de Łódź par la femme chauve-souris.

Je n'avais toujours aucune idée de son identité.

— Bien sûr, a répondu Spoon. Quel rapport ?

J'ai posé le doigt en plein sur le visage de la photo.

— Tu sais que ce n'est pas vraiment le Boucher de Łódź, n'est-ce pas ?

— Oui.

— Est-ce que tu as un moyen de découvrir de qui il s'agit ?

Spoon a examiné le cliché, avant de hocher la tête lentement.

— C'est peut-être possible. Laisse-moi le temps d'y travailler, OK ?

— OK.

Spoon a rangé la photo dans le tiroir de sa table de chevet.

— Mieux vaut faire entrer Ema, maintenant. Qu'est-ce que je dois lui dire, à ton avis ?

— La vérité.

J'ai contemplé mon ami, assis dans ce lit, paralysé à partir de la taille. Je refusais d'assimiler cette réalité. Sinon, je craignais de flancher. Mais soudain, j'ai senti les larmes me monter aux yeux. Spoon a détourné le regard.

— Arthur ?

— Ne m'appelle pas comme ça.

— Spoon ?

— Quoi ?

— Comment tu te sens ? Sincèrement.

Il m'a adressé son immense sourire.

— Super bien !

Je l'ai regardé et j'ai attendu. Le sourire s'est effacé.

— Pour être honnête, j'ai un peu peur.

— Oui, je comprends.

Silence.

— Mickey ?

— Oui.

— Quand j'aurai parlé aux filles, tu crois que tu pourrais rester un peu avec moi ?

J'ai réussi à ne pas pleurer.

— Aussi longtemps que tu voudras.

15

Ema est entrée dans la chambre, si bien que je me suis retrouvé seul avec Rachel pour la première fois depuis que j'avais frappé à sa porte et que je lui avais révélé la vérité sur la mort de sa mère. Pendant quelques minutes, nous avons tous deux évité le regard de l'autre. J'étais là à me sentir bêtement mal à l'aise, je dansais d'un pied sur l'autre en faisant semblant de siffloter avec désinvolture. Pourquoi faire semblant de siffler ? Aucune idée. Mes mains me paraissaient énormes, et je ne savais pas où les mettre. Finalement, je les ai fourrées dans mes poches.

Rachel était sublime. C'était aussi simple que ça. Physiquement, elle était parfaite. Tout le monde était d'accord là-dessus. Au lycée, c'était LA bombe, mais j'ai remarqué que ce genre de filles, même si elles sont forcément attirantes, ont souvent une beauté standard, tellement lisse qu'elles en deviennent presque fades – quand on plaît à tout le monde, on est souvent un peu insipide.

Ce n'était pas son cas : Rachel avait une beauté « intéressante ».

J'ai fait un pas hésitant vers elle, m'attendant à

moitié à la voir secouer la tête pour me signifier une fois encore de garder mes distances. Elle sentait merveilleusement bon, comme le chèvrefeuille ou le lilas.

— Salut, ai-je dit.

— Salut.

— Ça va ?

— Oui.

Silence.

— Je suis désolé.

— Ce n'est pas ta faute.

— Ton père aurait préféré que tu ne saches pas la vérité. Il ne voulait pas que je te dise ce qui était arrivé à ta mère.

Rachel a incliné la tête de côté.

— Alors, pourquoi tu l'as fait ?

Sa question m'a pris au dépourvu. J'espérais, je crois, qu'elle serait reconnaissante pour ma franchise, mais son regard me clouait sur place, exigeant une réponse.

— À cause d'une chose que m'a dite mon oncle.

— Ton oncle Myron ?

— Oui.

— C'était quoi ?

— Il m'a parlé des mensonges qu'on dit parfois pour protéger quelqu'un.

— Continue.

— Je ne me souviens pas de ses paroles exactes, mais il m'a dit que, quand on mentait à quelqu'un, même pour la bonne cause, le mensonge restait ensuite toujours entre nous.

Rachel a hoché la tête. J'avais envie de savoir comment son père avait réagi, mais je n'ai pas osé le lui demander. Le silence est retombé pendant quelques secondes. C'est moi qui l'ai rompu.

— J'étais surpris de te voir ici. C'est Spoon qui t'a appelée ?

— Non.

— Comment savais-tu que tu devais venir ?

— J'ai trouvé ça dans mon casier.

Rachel m'a tendu un devoir d'histoire qu'elle avait rendu à Mme Friedman. À côté de la note (un A), la prof avait griffonné : « Excellent travail ! » Mais ce n'était pas ça l'important. L'important, c'était l'image que quelqu'un avait tamponnée dans le coin en haut à droite.

Le *Tisiphone Abeona*.

— C'est toi qui as fait ça ? m'a-t-elle demandé.

J'ai soupiré.

— Tu te doutes bien que non.

— Qui, alors ?

— Je ne sais pas. Et en même temps, nous le savons tous.

Rachel a secoué la tête.

— Tu t'exprimes comme un oracle chinois. (Puis elle a montré la porte de la chambre de Spoon.) Un autre ado a disparu, donc ?

— C'est possible. De quoi t'a parlé Spoon avant qu'on arrive ?

— De Thomas Jefferson qui avait un oiseau moqueur apprivoisé et qui, quand il était seul dans son bureau, fermait la porte et le laissait voler en liberté.

J'ai souri.

— Alors, qui a disparu ?

— Un type qu'Ema a rencontré sur Internet. Il s'appelle Jared Lowell.

Et je l'ai mise au courant de ce que je savais. À la fin, je lui ai demandé :

— Je peux te poser une question personnelle ?

— Bien sûr.

— Est-ce que Troy et toi...

— Non. Et tu es le mieux placé pour comprendre.

— Comprendre quoi ?

— Le basket compte autant pour lui que pour toi.

Et on l'en privait pendant son année de terminale. Troy aurait peut-être pu entrer à l'université grâce à ses performances sportives, voire obtenir une bourse d'études. C'était autant de portes qui se refermaient devant lui.

— Tu crois qu'il l'a fait ? ai-je demandé.

— Qu'il a pris des stéroïdes ?

— Oui. Il prétend que c'est un coup monté.

— C'est possible ?

— Je n'en sais rien. Toi, tu le connais... euh... bien. Je voulais avoir ton avis.

— Pourquoi ?

— Parce qu'il m'a demandé d'enquêter.

Rachel a écarquillé les yeux.

— Quoi ?

— Troy veut que je prouve que le test a été trafiqué ou je ne sais quoi.

— Toi ?

— J'ai eu exactement la même réaction.

— C'est dingue.

— Donc ?

— Je ne sais pas. Je ne l'ai jamais vu se doper. C'est un vrai compétiteur, pas de doute là-dessus. Il subit une très forte pression, et c'est vrai qu'il la ramenait pas mal, ces derniers temps. Mais de là à tricher ? Je ne pense pas.

Ema est sortie, laissant la place à Rachel. Quand

elle nous a rejoints, quelques minutes plus tard, je leur ai annoncé que je voulais rester encore un peu avec Spoon. Les filles ont compris et sont reparties toutes les deux.

J'étais nerveux en rentrant dans la chambre de Spoon, mais il m'a aussitôt mis à l'aise. On a passé un super moment. C'est un drôle de truc, la vie. Les instants les plus poignants sont toujours ambivalents. J'ai beaucoup rigolé avec Spoon, alors même que j'avais le cœur en miettes. Le rire peut être encore plus intense quand il se mêle aux larmes.

Il commençait à se faire tard, mais je n'avais pas envie de le laisser. J'ai envoyé un SMS à Myron pour l'avertir, et il a compris.

Je viendrai te chercher quand tu auras fini. Peu importe l'heure.

Je lui ai répondu que je rentrerais à pied, puis j'ai éteint mon portable pour ne pas avoir à argumenter. Le temps a passé. Spoon a allumé la télé et mis une sitcom. À un moment, je me suis aperçu qu'il ne parlait plus, ce qui ne lui arrivait jamais.

Il s'était endormi.

En le contemplant, je me suis retrouvé en proie à tout un tas d'émotions. Je n'ai pas cherché à leur faire obstacle ou à les analyser, je les ai laissées m'envahir. Sentant mes paupières s'alourdir, j'ai décidé de les fermer une minute, pas plus, puis je vérifierais que Spoon allait bien avant de rentrer chez moi. C'était le plan, en tout cas : me reposer les yeux une minute.

J'ignore combien de temps s'est écoulé. Une heure. Ou peut-être davantage. J'étais en train de rêver de l'accident de voiture qui avait coûté la vie à mon père – le crissement des pneus, le choc au moment de

117

l'impact, mon corps projeté en avant. Mon père couché par terre, en sang, les yeux fermés, et cet ambulancier, ce foutu ambulancier qui me regardait...

Une main a effleuré mon épaule.

— Mickey ?

Je me suis réveillé en sursaut. J'étais dans la chambre d'hôpital de Spoon. Il faisait nuit. Mon ami dormait. Je me suis retourné pour lever les yeux vers la silhouette de l'infirmière. Sauf que ce n'était pas une infirmière. Je l'avais compris à l'instant où j'avais entendu sa voix.

C'était la femme chauve-souris.

16

J'avais un million de questions à lui poser.

Sa main n'avait pas quitté mon épaule. Une main décharnée, aux veines saillantes et couverte de taches de vieillesse. Je savais qu'elle avait largement dépassé les quatre-vingts ans. Et elle faisait son âge. Je savais aussi que j'aurais dû arrêter de l'appeler la « femme chauve-souris », même dans ma tête. Son vrai nom était Elizabeth Sobek, ou Lizzy Sobek. Sa famille entière avait péri durant l'Holocauste, mais la jeune Lizzy en avait réchappé et avait sauvé un groupe d'enfants en route pour un camp de concentration en Pologne. Après ça, l'adolescente s'était engagée dans la résistance contre les nazis.

Puis on n'avait plus entendu parler d'elle.

D'après la plupart des livres d'histoire, elle avait été tuée avant la fin de la Seconde Guerre mondiale.

La plupart des livres d'histoire se trompaient.

— Vous allez bien ? lui ai-je demandé.

La dernière fois que je m'étais trouvé dans sa maison, le mystérieux ambulancier y avait mis le feu. Je n'avais pas revu la vieille dame depuis.

— Ça va.

Elle paraissait moins frêle et plus solide que lors de nos précédentes rencontres. Peut-être parce qu'elle avait troqué sa longue robe blanche usée contre une blouse d'hôpital. Ses cheveux gris, qui d'ordinaire retombaient sur ses épaules, étaient attachés en chignon.

Elle s'est approchée du bout du lit de Spoon et a examiné ses courbes de température. Son visage était sombre.

— Il ne peut plus marcher, ai-je dit. Vous ne pouvez rien faire ?

— Je ne suis pas médecin, Mickey.

— Mais vous ne pouvez pas…

— Non.

Elle s'est avancée vers Spoon et lui a dégagé les cheveux du visage.

— Je suis désolée.

— Ce n'est pas assez.

— Ce n'est jamais assez.

— C'est notre faute.

— Peut-être… Nous sauvons beaucoup de gens, mais il y a toujours un prix à payer.

— Ça ne devrait pas être à lui de payer, ai-je dit en désignant le lit.

Elle a failli sourire.

— Tu veux me faire un cours sur l'injustice de la vie, Mickey ?

— Non, madame. (J'ai remué sur ma chaise.) Où étiez-vous ?

— Peu importe.

Baissant les yeux sur Spoon, elle a ajouté :

— Il est destiné à faire de grandes choses, tu sais ?

— Donc, il va s'en sortir ?

— Je n'ai pas dit ça. (Elle s'est retournée vers moi.) Ma maison a disparu.

— L'ambulancier. Il l'a incendiée.

— Je sais.

— Il a essayé de me tuer.

Comme elle ne répondait pas, j'ai poursuivi :

— Je ne comprends toujours pas. (J'ai ouvert le tiroir de la table de nuit pour en sortir la photo en noir et blanc.) Pourquoi me l'avez-vous donnée ?

Elle n'a pas répondu à cette question-là non plus.

— Vous m'aviez dit que c'était le Boucher de Łódź qui avait sévi pendant la Seconde Guerre mondiale, ai-je repris, tentant de contrôler ma colère. Mais c'est faux. C'est peut-être son corps, mais le visage… c'est celui de l'ambulancier qui m'a annoncé la mort de mon père. Pourquoi m'avez-vous donné cette photo ?

— Le Boucher de Łódź a tué ma famille.

— Je sais.

— Cet homme… c'est *ton* Boucher.

J'ai secoué la tête.

— Donc, il est… quoi ? Mon ennemi ?

Elle n'a rien dit.

— Et je ne comprends toujours pas pourquoi vous avez mis sa tête sur ce corps-là.

— C'était… un test.

— Comment ça ?

— Je voulais voir ta réaction. J'avais besoin de savoir si tu étais de notre côté. Ou du sien.

— Attendez ! Je ne comprends rien à ce que vous racontez. Qui est-ce ?

— La dernière fois que tu t'es trouvé dans ma maison, tu es monté au premier étage, n'est-ce pas ?

J'ai hoché la tête.

— Tu as vu le « couloir des rescapés ».

— C'est comme ça que vous l'appelez ?

— Tu l'as vu ?

Je l'avais vu en effet. Quand j'avais grimpé l'escalier, je m'étais retrouvé dans un couloir tapissé de photos d'enfants et d'adolescents. Des centaines, des milliers, peut-être même des dizaines de milliers, qui couvraient tous les murs et le plafond. Certaines étaient en noir et blanc. D'autres en couleurs. Il y en avait tant que c'était vertigineux.

Uniquement des photos d'enfants.

D'enfants disparus. Ou, plutôt : d'enfants sauvés.

— Les photos ont brûlé dans l'incendie.

— Je sais.

— Quel est le rapport entre les photos et ce type ?

— Si tu avais eu le temps d'examiner le couloir de plus près, tu aurais peut-être trouvé la photo d'un petit garçon blond vénitien aux yeux verts.

— Il fait partie de ceux que vous avez sauvés ?

— Pas moi.

— Qui, alors ?

Elle m'a regardé sans dire un mot.

— Mon père ?

Une fois encore, elle n'a pas répondu. Mais c'était inutile.

— Mon père a sauvé ce type ?... Mais maintenant, c'est mon ennemi ?

— Il est pire que ça.

— C'est lui qui a allumé l'incendie. Et j'ai failli y laisser ma peau.

Comme elle demeurait silencieuse, j'ai demandé :

— Est-ce qu'il a tué mon père ?

— Je ne sais pas. Tu m'as dit qu'il était sur le lieu de l'accident.

— Oui, c'était l'ambulancier.

— Et il a emmené ton père ?

— Oui. (Elle s'est détournée et a de nouveau regardé Spoon.) Je n'en sais pas plus.

— Qu'est-ce que vous racontez ? (Je percevais la colère dans ma propre voix.) La première fois que je vous ai vue, vous êtes sortie de chez vous et vous m'avez dit que mon père était en vie. Vous vous en souvenez ?

— Je m'en souviens.

— Alors, si vous ne savez rien, pourquoi avoir dit un truc pareil ?

Elle a fermé les yeux.

— Quand j'ai appris ce qui était arrivé à ton père, j'ai pleuré. On finit par s'habituer à la mort et à la perte, je te l'ai déjà expliqué. Mais ton père avait sauvé tant d'enfants. Ta mère aussi. Ils ont voué leur vie à notre cause et se sont fait beaucoup d'ennemis. Pourtant, quand j'ai su pour ton père, j'ai cru qu'il s'agissait seulement d'un terrible accident. J'ignorais que Luther était là.

— Luther ? C'est son nom ?

Elle m'a pris la photo des mains.

— J'aurais dû être plus avisée. Les accidents, ça arrive, bien sûr, mais pour les gens comme nous, il est bien plus probable que des forces malfaisantes soient à l'œuvre. Je me suis trompée.

— Qu'est-ce qui vous a fait changer d'avis ?

Comme elle ne répondait pas, j'ai insisté :

— Qu'est-ce qui vous a fait penser que ce type, Luther, était impliqué ?

La vieille dame m'a souri et, l'espace d'un instant, j'ai deviné l'enfant qu'elle avait été autrefois.

— Tu ne crois pas à la magie, n'est-ce pas, Mickey ?

Pitié, non, ai-je pensé.

— Moi non plus. J'ai vu trop de souffrances pour croire aux superstitions. Et pourtant...

J'ai attendu la suite, en vain. J'ai tenté une autre approche :

— C'est qui, ce Luther ? Et quel est son nom de famille ?

— Je ne sais pas.

— Comment c'est possible ?

Elle a haussé les épaules.

— Ce qui nous importe, c'est le sauvetage, pas le nom de celui qu'on sauve.

— Mais mon père l'a sauvé ?

— Oui.

— Et ensuite vous avez cru...

— Que ton père était mort dans un accident de voiture.

— Qu'est-ce qui vous a fait changer d'avis ? ai-je demandé une nouvelle fois.

— Tu ne vas pas y croire. Moi non plus, je n'y crois pas. Et pourtant, je sais ce que je sais. Je ne crois pas à la magie ni à la superstition. Mais je crois qu'il y a des choses que nous ne sommes pas capables de comprendre – des choses qui dépassent notre entendement. Parfois, expliquer le fonctionnement du monde, c'est comme apprendre à lire à un lion. Lire est quelque chose de réel. Le lion aussi est réel. Pourtant, il ne saura jamais lire.

La comparaison me paraissait un peu tirée par les cheveux, mais j'en saisissais le sens général.

— Alors, que s'est-il passé ?

— Mon réfrigérateur est tombé en panne.

— Hein ?

— C'est un vieux frigo. Il est très bruyant, mais je l'ai depuis longtemps et je l'aime bien. Son ronronnement me rassure.

Je me suis retenu de soupirer.

— Mademoiselle Sobek ?

— Lizzy.

— Pardon ?

— Appelle-moi Lizzy.

— OK, très bien. Lizzy, je vous interrogeais sur ce Luther et sur mon père.

— Et je suis en train de te répondre. Tu dois être patient, Mickey. J'en étais où ?

— Vous adorez votre frigo bruyant, ai-je dit, limite sarcastique.

— Ah, oui. Merci. Mon frigo. Je l'ai depuis... oh, je ne sais même plus. De très nombreuses années.

— Passionnant, ai-je commenté.

C'était sorti tout seul.

Lizzy a ignoré ma remarque.

— Un jour, le frigo est tombé en panne, et j'ai appelé le réparateur. C'était il y a environ deux mois.

— OK, ai-je dit, pour l'encourager à poursuivre.

— Il m'a dit qu'il passerait entre midi et 17 heures. C'est comme ça qu'ils font maintenant, les réparateurs. Ils ne fixent plus une heure précise, comme autrefois, mais donnent un créneau horaire. Et on est censés rester là à les attendre. Bon, d'accord, je n'avais rien d'autre à faire.

J'avais très envie de lui arracher les mots de la bouche, mais j'imagine qu'elle devait aller à son rythme.

— Donc, à midi, je suis descendue au rez-de-chaussée. J'aime bien m'installer dans le salon et écouter de la musique. Ma chaîne stéréo reste allumée toute la journée. Je sais que c'est drôle pour une femme de mon âge, mais j'adore les vieux groupes de rock. Les Who. Les Rolling Stones. *Pet Sounds*, des Beach Boys. Tu l'as déjà entendu ?

— Oui.

— Tu aimes bien ?

— Beaucoup.

— Moi aussi. Mais mon groupe préféré, c'est HorsePower. Tu le connais ?

— C'est aussi le préféré de ma mère.

— Je sais, m'a-t-elle dit avec un sourire. Mais ce jour-là, comme je voulais être sûre d'entendre frapper, je n'ai pas mis de musique. Je me suis préparé du thé et assise à la table de la cuisine pour attendre le réparateur. Ça m'a paru interminable.

— Je connais ce sentiment.

— Comment ?

— Rien. Donc, vous attendiez le réparateur.

— Oui. Et là, je me suis endormie, à la table de la cuisine. Je ne sais pas pourquoi. Je ne fais jamais la sieste dans la journée. Mais je devais être fatiguée. Ou alors, c'était à cause du silence. Le frigo ne faisait pas de bruit, et il n'y avait pas de musique. Bref, je me suis assoupie. Et c'est alors que je l'ai entendue.

— Entendu quoi ?

— La voix de ton père. Dans mon sommeil. Je devais rêver.

J'ai essayé de rester impassible.

— Vous avez rêvé de la voix de mon père ? Et qu'est-ce qu'il disait ?

— Je n'entendais pas bien. Sa voix était étouffée. Mais je suis sûre que c'était la sienne. Il a prononcé le nom *Luther*. C'est à peu près tout. Il paraissait paniqué. Puis on a frappé à la porte et je me suis réveillée. C'était le réparateur.

Je n'en croyais pas mes oreilles.

— Et c'est pour ça que vous avez cru que mon père était en vie ?

— Oui.

— Parce que vous avez entendu une voix ?

— Sa voix.

— Dans votre sommeil ?

— Oui.

Je ne savais même plus quoi dire.

— Mickey ?

— Quoi ?

— Tu sais ce qui est arrivé à ma famille, bien sûr. À ma mère. À mon père. Et à mon frère chéri.

J'ai hoché la tête.

— Ils sont tous morts, a-t-elle dit. Donc, je sais.

— Qu'est-ce que vous savez ?

— Je sais, a-t-elle répondu d'une voix fêlée, que les morts ne me parlent jamais.

Quelque part, très loin en fond sonore, j'ai entendu les bips des appareils médicaux.

— Pas une seule fois, a-t-elle poursuivi. Toutes ces morts, toutes ces années, tous ces fantômes. Jamais ils ne m'ont parlé. Tu as envie de te moquer de la vieille dame qui entend des voix ? Je le comprends aussi. Mais j'ai appris qu'on ne pouvait pas tout expliquer.

En tout cas, pas encore. Je sais ce que j'ai entendu. J'ai entendu ton père. Je l'ai entendu me mettre en garde contre Luther.

Comme je ne disais rien, elle a poursuivi :

— Et maintenant, Luther est de retour, n'est-ce pas ? Alors, peut-être que je ne suis pas si folle que ça.

Le silence est retombé. Au bout de quelques minutes, je l'ai rompu.

— C'est pour ça que vous avez photoshopé sa tête sur le portrait du nazi ?

— Le photomontage ? Oui.

— Vous vouliez voir ma réaction ? Savoir si je connaissais Luther ?

— Oui.

— Qu'est-ce que vous pensiez ? Que j'étais de mèche avec lui ?

— Je ne savais pas. Mais il était sur place. Tu m'as dit qu'il avait embarqué ton père.

— Oui, c'est vrai. Mais mon père a sauvé Luther, non ? Pourquoi voudrait-il s'en prendre à lui ?

— Parfois, les choses ne se passent pas comme on le voudrait, Mickey.

Elle a regardé Spoon. Le sous-entendu était évident.

— Ce n'est pas parce qu'on fait le bien qu'on est à l'abri du mal.

J'ai senti les larmes monter.

— Alors, qu'est-ce que je fais, maintenant ?

— Tu es déjà en train de le faire. Tu as reçu une mission.

— Vous parlez du garçon qu'Ema a rencontré sur Internet ?

— Oui.

— Pourquoi ?

— Il faut qu'elle découvre la vérité. Tu dois l'aider.

— OK.

— Mais n'oublie pas une chose, Mickey. On ne réussit pas toujours les sauvetages.

— Que voulez-vous dire ?

— Ta recherche… Il se peut qu'elle n'aboutisse pas.

— Pourquoi est-ce que… ?

La porte derrière nous s'est ouverte. Alors que l'infirmière entrait, Lizzy Sobek est sortie à une vitesse défiant son âge, en marmonnant une excuse, avant de disparaître dans le couloir. J'ai voulu la suivre, mais l'infirmière m'a bloqué le passage.

— Une petite seconde, a-t-elle dit. On peut savoir qui c'était ?

— Une collègue à vous, ai-je répondu en la bousculant presque pour sortir.

Une fois dans le couloir, j'ai regardé à droite puis à gauche. Il n'y avait plus personne.

La femme chauve-souris s'était évaporée.

17

Le lendemain, à la cafèt, Ema et moi étions installés comme d'habitude à notre table de parias. Je m'apprêtais à lui raconter la visite de la femme chauve-souris quand je l'ai vue écarquiller les yeux.

— Quoi ?

Elle n'a pas répondu. Les yeux braqués par-dessus mon épaule, elle avait la même expression horrifiée que si un zombie s'était approché de moi, prêt à bondir et à planter ses crocs dans ma chair.

Lentement, je me suis retourné pour découvrir la cause de sa terreur.

Troy Taylor s'avançait vers nous.

Il portait un plateau bien garni : trois briques de lait, un sandwich de la taille d'un polochon, une montagne de frites, des yaourts et je ne voulais même pas savoir quoi d'autre. Il marchait avec cette aisance et cette confiance en soi qu'Ema et moi n'aurions jamais dans cette salle.

— Qu'est-ce que… ? a chuchoté Ema. Il n'oserait tout de même pas…

Troy s'est arrêté devant nous et nous a adressé un sourire si éclatant que j'ai failli sortir mes lunettes de soleil.

— Salut ! Je peux m'asseoir avec vous ?

Avant qu'on soit revenus de notre surprise, il avait laissé tomber son plateau à grand bruit sur la table et tiré une chaise. Il s'est assis comme si on venait de lui couper les jambes et a empoigné son sandwich à deux mains.

— Alors, comment ça va, vous deux ?

Il a pris une grosse bouchée qu'il s'est mis à mâcher. Ema le regardait comme on regarde une déjection canine.

— Qu'est-ce que tu veux ?

— Pourquoi je voudrais quoi que ce soit ?

— Ce n'est pas ici que tu t'assois d'habitude.

— J'essaie d'élargir mes horizons. Ça pose un problème ?

— D'habitude, tu t'assois là-bas, a dit Ema en montrant la table des gens « cool ». Et quand tu daignes jeter un coup d'œil par ici, c'est pour te mettre à meugler en me regardant.

Troy a reposé son sandwich, s'est essuyé les mains sur une serviette et a adressé à Ema le regard le plus solennel que j'aie jamais vu sur un ado.

— Je voulais justement m'excuser pour ça.

— Pardon ?

— Non, Ema… Je peux t'appeler Ema ? À moins que tu ne préfères Emma ?

Prise au dépourvu, elle a répondu :

— Euh, Ema, c'est bien.

— Super, merci. Non, Ema, c'est moi qui dois te dire pardon, pas toi. J'ai eu tort.

— Tu as eu tort tous les jours ? Tous les jours depuis… la sixième ?

— Oui, justement. C'était nul. Je n'ai rien à dire pour ma défense. Bien sûr, je pourrais tout mettre sur le dos de Buck. Vous savez que c'est lui l'initiateur de ce genre de plaisanteries. Je subissais peut-être la pression du groupe, je ne sais pas. On pourrait croire que c'est facile de trôner à cette table, là-bas, d'être… un des rois – et je sais qu'en disant ça vous allez me prendre pour un frimeur. Mais comme nous l'a appris Mme Friedman en cours d'histoire européenne : « Inquiète est la tête qui porte la couronne. »

Ema et moi en sommes restés bouche bée.

— Alors, c'est peut-être parce que Buck est parti. Ou parce que je vois les choses différemment à la lumière des récents événements. Mais sincèrement, Ema, je tiens à m'excuser et à essayer de repartir du bon pied.

— C'est une blague, hein ?

Troy a paru blessé.

— Je n'ai jamais été plus sérieux.

— Tu me prends vraiment pour une idiote ?

— Pourquoi tu dis ça ?

— Tu essaies de te servir de moi, Troy, c'est tout.

— Ema… ai-je commencé.

Elle a brusquement tourné la tête vers moi.

— Quoi ? Tu es prêt à avaler ça ?

— Non, mais…

— Il cherche seulement à t'utiliser, Mickey. Il n'est pas là parce qu'il a eu une révélation ou parce que Buck est parti. Il est là uniquement parce qu'il veut qu'on l'aide à sauver sa peau dans son affaire de dopage.

— Ema ?

C'était Troy. Elle a reporté son regard sur lui.

— Quoi ?

— Je ne prétends pas que Mickey et moi allons devenir les meilleurs amis du monde, mais nous sommes des coéquipiers. C'est un lien difficile à

133

comprendre. On veut tous les deux gagner, et on veut gagner avec nos coéquipiers à nos côtés.

— Troy, on sait l'un comme l'autre que tu es coupable.

— Si c'était le cas, j'éviterais d'en parler. Mon père veut que je fasse profil bas.

Cette remarque a réduit Ema au silence l'espace d'une minute.

— Je comprends ce que tu ressens, a repris Troy.

— Non, je ne crois pas. Tu aurais réagi comment si j'étais venue m'installer à ta table ? Tu te serais probablement mis à meugler.

— Ça fait mal à entendre, a-t-il répondu avec un hochement de tête. Mais ce n'est que justice.

— Donc, ton test antidopage s'est révélé positif, et maintenant, tu veux nous faire croire que tu as eu une illumination ?

Troy a réfléchi.

— La vérité, c'est que j'ai besoin de l'aide de Mickey. Et crois-moi, ça a été dur à admettre. Mais Brandon m'a aidé à ouvrir les yeux. Et puis, même si ça vous paraît débile, le fait de parler à Mickey en tête à tête m'a aussi obligé à évoluer. C'est facile de détester quelqu'un à distance. C'est plus difficile de le haïr en face.

Ema avait toujours les sourcils froncés, l'air renfrogné.

— En parlant avec Mickey, je me suis mis à réfléchir à plein de choses. À toute ma vie, en fait. Je me retrouvais devant un type avec lequel j'avais été atroce, et il était prêt à m'aider. Moi, je n'aurais jamais fait ça, je vous le dis honnêtement. C'est là que je me suis mis à gamberger. Je me suis demandé quel genre de personne j'étais et quel genre de personne j'avais envie d'être. Je me suis regardé en face, sans

134

doute pour la première fois. Jusqu'ici, les choses ont toujours été faciles pour moi. J'avais peut-être besoin qu'il m'arrive un truc comme ça. Bref, j'ai jeté un long coup d'œil dans le miroir, et je n'ai pas aimé ce que j'ai vu. (Il s'est levé et a pris son plateau.) Je ne t'en veux pas, Ema. Et je ne m'attends pas à me faire pardonner en un jour. Il faut avancer petit à petit. Alors, si tu n'acceptes pas mes excuses pour tous les trucs horribles que j'ai dits ces dernières années, ce que je comprendrais, s'il te plaît, accepte au moins mes excuses pour avoir débarqué comme ça à votre table. (Il m'a adressé un signe de tête.) À un de ces jours.

J'ai failli le rappeler, puis j'ai laissé courir. Ema ne lui a pas répondu non plus. Elle a baissé la tête et s'est mise à jouer avec sa nourriture.

— Il se la pète tellement.

Je comprenais sa réaction. Je n'étais pas loin de la partager. Moi non plus, je ne faisais pas entièrement confiance à Troy, et pourtant je n'endurais ses attaques que depuis quelques semaines. Ema en avait fait les frais une grande partie de sa scolarité.

D'un autre côté, il avait pris l'initiative de venir vers nous. Il avait fait le premier pas. Je détestais l'idée de le rejeter purement et simplement. C'était le genre de choses que Troy et sa clique feraient, pas nous.

Ema a reposé sa fourchette.

— Nous devrions mener une petite enquête sur le contrôle antidopage de Troy.

— Tu crois ?

Elle a hoché la tête.

— Afin de prouver une bonne fois pour toutes que c'est un sale menteur.

18

Après les cours, j'ai reçu un SMS de Spoon, également adressé à Rachel et Ema.

Trouvé 1 truc. Vous passez ce soir ?

Nous avons tous les trois répondu par l'affirmative.

Premier arrivé au gymnase, je me suis changé et j'ai profité de cinq minutes de solitude pour faire des tirs dans le panier du fond. Danny Brown, un élève de première, est sorti des vestiaires peu après. Je l'ai vu attraper un ballon et entrer en courant sur le parquet. Je me suis arrêté, attendant l'habituel regard glacial.

Qui n'est pas venu.

Ensuite, au lieu de se diriger vers le panier du milieu, Danny s'est avancé vers moi.

— Salut, Mickey.

— Euh, salut, Danny.

Personne ne nous avait jamais présentés. Et nous ne nous étions jamais adressé la parole jusque-là.

D'autres membres de l'équipe sont entrés et, ô surprise, ils se sont dirigés vers mon panier dans le coin du gymnase. Danny a attrapé le rebond et m'a renvoyé le ballon. Nous nous sommes exercés aux passes et aux tirs. Les autres m'ont dit bonjour. Certains m'ont même fait des *checks*. On m'a demandé si je me plaisais dans ce nouveau lycée. On m'a posé des questions sur mes cours. On m'a mis en garde contre certains profs et donné des tuyaux concernant certaines matières.

Eric Bachmann, un terminale, m'a même proposé de me ramener chez moi en voiture après l'entraînement.

Pour la première fois de ma vie, j'ai eu le sentiment d'appartenir à une équipe.

Je sais que ça paraît dérisoire par rapport à tout ce qui se passait autour de moi. L'ami d'Ema avait disparu. Mon père était mort, ma mère était en centre de désintox, et un dingue, dénommé Luther, voulait apparemment ma peau. Mais en cet instant, j'ai profité de cette merveilleuse camaraderie si naturelle pour les autres.

Sur le terrain aussi, ça a été la fête. Mes coéquipiers me passaient le ballon, que je leur renvoyais. Sur une contre-attaque, j'ai feinté d'attaquer le cercle et lancé le ballon vers Brandon qui l'a rattrapé d'une main pour un *alley-hoop* spectaculaire.

Le basket ressemble parfois à de la poésie en mouvement.

Tout le monde nous a acclamés et nous a tapé dans le dos. Brandon a seulement pointé le doigt vers moi et esquissé un petit signe de tête, avant de repartir en défense.

Je ne peux pas vous dire à quel point je me sentais bien.

Les pom-pom girls s'entraînaient dans un coin du gymnase. Toutes avaient vu l'action. Rachel m'a adressé un petit sourire, et mon cœur a fait un salto arrière.

L'entraînement sur le terrain ne durait qu'une heure,

ce jour-là. Pendant la deuxième heure, nous sommes allés faire de la muscu au club de sport Schultz, au bout de la rue. Dans la salle, les haltères chromés et toutes les machines étincelaient. Les appareils de cardio étaient pourvus de mini-écrans de télé. Il y avait un petit magasin de vêtements et un bar à jus de fruits. La musique hurlait, assourdissante.

Mais notre humeur joyeuse s'est assombrie dès que nous avons pénétré dans le club. Il appartenait à Boris Schultz, le père de Buck, et, en entrant, tout le monde a pensé à lui. Il y a vingt ans, M. Schultz était un culturiste de premier plan, ancien Mister New Jersey, qui avait fini dans les dix premiers du concours de Mister America. La coupe de cheveux militaire, la carrure impressionnante, il avait ce genre de corps en béton sur lequel on risquait de se casser un os en cas de contact.

Ce jour-là, cependant, M. Schultz semblait plus petit. J'avais déjà observé le phénomène sur ma mère, et peut-être aussi sur moi. La maladie produisait parfois cet effet sur les gens, mais aussi la tristesse. Pendant que nous faisions nos exercices – développé couché, flexion du biceps, squats –, il a circulé parmi nous en tentant de paraître enthousiaste, mais ça sonnait faux. Il nous criait les formules habituelles pour nous encourager à nous surpasser, des « Allez, encore deux ! » et « On ne lâche rien ! ».

Mais le cœur n'y était pas.

La dernière fois que nous étions venus au club, personne n'avait voulu se mettre en binôme avec moi. Stashower, le coach assistant, avait dû se dévouer pour être mon partenaire. Aujourd'hui, les volontaires se bousculaient, et j'ai fini avec Danny Brown. Nous étions au milieu du parcours d'entraînement quand j'ai remarqué quelque chose de bizarre. Ou plutôt, quelqu'un.

Myron ?

Je l'ai aperçu derrière la grande vitre du bureau de M. Schultz. Ce dernier a quitté la salle pour aller l'accueillir. Randy, frère aîné de Buck et star locale, était là aussi. Un jour, quelqu'un m'avait expliqué les probabilités de devenir un athlète professionnel. En gros, elles sont proches de zéro. Kasselton est une grande ville. J'ai lu quelque part que, dans ce comté du New Jersey, sur trois mille petits garçons qui commencent à jouer au basket en CE2, un seul rejoignait une équipe universitaire (en division 1, 2 ou 3). Faites le calcul : dans notre ville, cinq cents gamins entraient dans la ligue chaque année. Ce qui signifiait qu'un seul tous les six ans était destiné à poursuivre au niveau universitaire. Les probabilités de passer pro à partir de là ?

Laissez tomber.

Dans l'histoire de cette ville inconditionnelle de sport, il n'y avait eu qu'un athlète professionnel sur les milliers de gamins entrés dans la course, et encore, des blessures l'avaient empêché de disputer plus d'un match ou deux.

Vous avez deviné : il s'agit de Myron Bolitar.

Aujourd'hui, pour la première fois depuis que la carrière de Myron avait volé en éclats, deux décennies plus tôt, Kasselton disposait d'un autre athlète professionnel potentiel : un footballeur nommé Randy Schultz, le grand frère de Buck. Après avoir battu tous les records au lycée, il était en route pour la gloire dans la Conférence Big Ten, avait été élu meilleur joueur de l'Orange Bowl et attendait maintenant le *draft* de la Ligue nationale de football américain. D'après les experts, il serait sûrement choisi au cours des deux premiers tours.

Mais pour l'heure, Randy Schultz, futur *tight end* professionnel, paraissait préoccupé. Il parlait à mon oncle avec animation. J'ai essayé de croiser le regard de Myron, mais le père de Buck a surpris mon coup d'œil et baissé les stores.

Que se passait-il ?

— Mickey ?

C'était Danny Brown.

— Poste suivant.

La cage à squat. J'ai installé les poids et surveillé Danny. À la fin du circuit, nous sommes retournés dans les vestiaires.

— On est plusieurs à aller prendre une pizza. Tu viens avec nous ? Je pourrais te déposer chez toi après.

J'étais fou de joie.

— Euh, super, merci.

Il m'a adressé un sourire un peu crispé. Je me suis douché en essayant d'oublier ce sourire. Ç'avait été une bonne journée, et je n'en avais pas eu beaucoup ces huit derniers mois. Je voulais profiter d'une soirée normale, une soirée où je pouvais aller prendre une pizza avec mes coéquipiers.

Était-ce si répréhensible ?

On a fini à dix chez Pizzaiola. Je vous raconterais bien de quoi on a parlé, mais c'était sans intérêt – des discussions de mecs. On a tapé sur les équipes pros locales. On s'est moqués de certains profs. On a parlé de filles, même si je n'en connaissais vraiment aucune. Ils m'ont posé des questions sur moi.

— Tu vivais où, avant de venir ici ?

— Dans plein d'endroits.

— Par exemple ?

— En Afrique, surtout. En Amérique du Sud, en Asie, en Europe. Nous avons beaucoup voyagé.

Ils m'écoutaient, les yeux écarquillés. La plupart n'avaient jamais quitté Kasselton. L'autre « nouveau » de l'équipe avait emménagé ici huit ans plus tôt. Ces gars avaient tous grandi ensemble. Ils se connaissaient par cœur, pouvaient presque prédire ce que les autres allaient dire, savaient ce qui les ferait rire, quel bouton presser, quand faire machine arrière.

Pour eux, j'étais passé de bizarre à exotique.

Je ne sais pas combien de pizzas nous avons englouties, mais sans doute pas mal. Brandon en particulier mangeait comme un ogre. Des adultes sont entrés pour nous dire bonjour et nous interroger sur les chances de l'équipe. Tout le monde semblait connaître tout le monde. Chaque fois, Brandon se levait pour serrer la main du nouveau venu. La plupart du temps, il me présentait avec un peu trop de déférence. « Monsieur Mignone, permettez-moi de vous présenter Mickey Bolitar... » Moi, je me levais et serrais des mains. Inévitablement, on me posait la même question :

— Bolitar ? Vous êtes de la famille de Myron ?

— Je suis son neveu.

Ils comprenaient alors que j'étais le fils de Brad, et la discussion s'arrêtait là.

Comme je l'ai dit, tout le monde connaissait tout le monde. Ce qui signifiait qu'ils devaient aussi connaître mon père.

J'ai passé une super soirée, surtout quand l'attention générale s'est détournée de moi et que j'ai pu me contenter d'écouter et d'observer. On a beaucoup rigolé. J'ai essayé de me souvenir de la dernière fois où j'avais autant ri, mais je crois que ça n'était jamais arrivé. J'aurais voulu que le monde s'évanouisse. J'aurais voulu oublier le refuge Abeona, les enfants disparus, mon père et...

... et Spoon dans ce lit d'hôpital.

J'ai fermé les yeux. Oui, je voulais oublier. Ne serait-ce que le temps d'une soirée. Mais je n'ai pas eu droit à ça. Je n'ai eu que quelques heures de répit, et peut-être que ça suffisait pour le moment.

Mon portable a vibré quand le SMS est arrivé.

On est tous là. T où ????

C'était Ema.

19

Quand je suis arrivé à l'hôpital, Ema et Rachel m'attendaient à côté de l'ascenseur. Ema m'a lancé un regard soupçonneux.

— L'entraînement a fini à quelle heure ? m'a-t-elle demandé.

— T'inquiète pas pour ça.

Si Rachel a perçu la tension, elle a eu la sagesse de n'en rien montrer.

— Venez. On peut y aller tous ensemble.

— Je croyais qu'on ne pouvait entrer qu'un par un.

— Nouvelle infirmière, nouvelles règles, a expliqué Rachel. Celle d'aujourd'hui nous a donné la permission.

Elle a ouvert le chemin. Nous avons suivi, Ema et moi. Cette dernière gardait les yeux rivés droit devant elle.

— Qu'est-ce qu'il y a ?

— Il est tard.

— Et alors ?

— Tu étais où ?

— Au basket.

— Ça fait des heures que c'est fini.

— Dis-moi que je rêve.

Ema a continué de marcher.

— Je dois te faire un rapport de tous mes faits et gestes ?

— Seulement quand tu es censé avoir rendez-vous avec moi.

— J'ai perdu la notion du temps. Après l'entraînement, on est allés à la salle de sport du père de Buck, puis chez Pizzaiola.

Elle s'est arrêtée net.

— Tu es allé prendre une pizza avec *eux* ?

— Eux, ce sont mes coéquipiers, Ema, tu n'as pas l'air de le comprendre.

Elle a seulement secoué la tête.

— Quoi, encore ?

— Tu ne piges vraiment rien, hein ?

— Ce sont mes coéquipiers. Je ne suis pas obligé de les détester.

— Je n'ai pas dit ça.

— Mais ?

— Mais rien, Mickey. Tu es libre de faire ce que tu veux.

— Merci, m'man.

Nous avons trouvé Spoon assis dans son lit, ce magnifique sourire naïf sur le visage.

— Hé, Mickey, tu leur as dit ?

— Dit quoi ?

— Que j'étais destiné à faire de grandes choses.

— Tu as entendu ça ?

— J'ai *tout* entendu.

— Pendant tout le temps où la femme chauve-souris était là… ?

— J'étais réveillé, ouais.

— Elle est venue ici ? Dans cette chambre ? s'est exclamée Rachel.

Ema m'a fusillé du regard. Super. Maintenant que l'équipe de basket m'épargnait ses coups d'œil meurtriers, c'est Ema qui prenait le relais.

— Oui, a expliqué Spoon. Elle a fait semblant d'être une infirmière, et elle a dit que j'étais destiné à faire de grandes choses.

Il a remué les sourcils en regardant Rachel.

— Impressionnée ?

Je me suis tourné vers Ema.

— J'allais te le dire pendant le déjeuner, puis Troy est arrivé…

— C'est pas grave, m'a coupé Rachel, qui essayait de me sauver la mise. Qu'est-ce qu'elle t'a dit ?

Je leur ai raconté la visite de la femme chauve-souris. Quand j'ai eu terminé, Rachel a conclu :

— Donc, maintenant, on est sûrs. On doit retrouver Jared Lowell.

J'ai hoché la tête. Pas Ema. Le regard noir avait disparu. Maintenant, elle paraissait simplement blessée. D'un côté, je comprenais. D'un autre, ça commençait à me taper sur les nerfs.

— La question, c'est comment ? a poursuivi Rachel.

— C'est là que j'interviens, a dit Spoon.

On s'est tous tournés vers lui. Il a appuyé sur une touche de son portable.

— Je viens de vous envoyer mes infos les plus récentes sur Jared Lowell. J'ai réussi à entrer dans son dossier au lycée Farnsworth. D'ailleurs, c'est un bon élève. Premier de sa classe. Plus important, j'ai trouvé l'adresse de sa résidence et son emploi du temps. Je vous ai mis un plan du campus en pièce jointe. (Il a remonté ses lunettes sur son nez.) Avec ça, vous ne devriez pas avoir de mal à le localiser.

— Le campus est dans le Connecticut, a fait remarquer Rachel.

— Je sais.

— Comment on va aller là-bas ?

— Oh, mais Mickey conduit, a répondu Spoon.

— Illégalement, est intervenue Ema.

— Et je ne peux pas conduire jusque là-bas. C'est déjà risqué de le faire ici, ce serait de la folie d'aller si loin sans permis. En plus, mon oncle a confisqué les clés de la voiture.

— Vous pourriez vous y rendre en bus, a suggéré Spoon en pianotant sur son portable. Voyons voir… Il faut prendre le 441 sur Northfield et changer à Newark.

Il nous a donné plusieurs horaires de départ.

— Alors, on part quand ? ai-je lancé.

— On n'a pas cours demain, a répondu Ema, à cause de la réunion pédagogique. C'est une super occasion.

Il faudrait que je sois rentré à 16 heures pour mon entraînement, mais je n'ai pas vu la nécessité de le lui dire tout de suite. Un portable a vibré. Celui de Rachel. Elle a consulté l'écran et froncé les sourcils. Je n'ai pas pu m'empêcher de me demander si c'était Troy.

— C'est mon père, a-t-elle dit avec un soupir. Depuis la mort de ma mère…

Elle n'a pas eu besoin de finir sa phrase. Nous comprenions.

— Il veut savoir où je suis. Je ferais mieux de rentrer.

Elle a rangé son portable dans sa poche et récupéré son sac à dos.

— Ce sera difficile pour moi de vous accompagner demain. Papa veut m'emmener prendre le petit déjeuner dehors, avant d'aller voir ma grand-mère.

— Tu n'as pas à te justifier.

— On se débrouillera, a dit Ema.

— Et ce n'est peut-être pas plus mal qu'on ait quelqu'un ici pour surveiller nos arrières, ai-je ajouté. On ne sait jamais.

Ce que je disais n'avait aucun sens, mais ça sonnait bien – comme si nous lui donnions quelque chose à faire. Mais Ema avait raison : on n'avait pas besoin d'y aller à trois.

Dès qu'elle a été partie, Spoon s'est tourné vers moi.

— On peut bosser sur deux choses à la fois, Mickey.

— Traduction ?

— La femme chauve-souris t'a parlé de Luther.

Je n'ai rien répondu.

— Luther, c'est le type sur la photo que tu m'as donnée, exact ?

— Exact.

— Ton Boucher ? a demandé Ema.

J'ai fait « oui » de la tête.

— Donc, ton père était comme nous, a dit Spoon. Il sauvait des enfants pour Abeona.

— Oui.

— Tu le savais ?

— Non. Ou alors, je le soupçonnais. Je ne sais pas.

— Je ne capte pas, a dit Ema. Si ton père a sauvé Luther, pourquoi est-ce que ce type essaie de s'en prendre à toi ?

— C'est simple, a dit Spoon.

— Ah bon ?

— Luther ne voulait sans doute pas être sauvé.

149

Ema et moi avons échangé un coup d'œil.

— Je ne comprends pas.

— Moi non plus, du moins pas encore, a dit Spoon. Mais la chauve-souris a expliqué que parfois, les choses tournaient mal. Ça m'a fait réfléchir. Je me suis souvenu d'avoir lu quelque chose sur le syndrome de Stockholm. Vous savez ce que c'est ?

J'en avais une vague idée, mais je l'ai laissé développer.

— C'est quand des otages commencent à s'attacher à leurs ravisseurs. Qu'ils ne se rendent plus compte qu'ils sont des victimes. J'ai aussi lu des choses sur des enfants qui ont des parents horribles, des parents qui les maltraitent, et pourtant, ils veulent rester avec eux. Luther était peut-être comme ça. Il n'avait peut-être pas envie d'être sauvé.

— Ce n'est pas idiot.

Spoon a écarté les bras.

— Je vous étonnerais toujours, hein ?

— Mais en quoi ça nous aide à le retrouver ?

— C'est ce que j'ai l'intention de découvrir, a dit Spoon. J'ai la photo que tu m'as donnée. J'ai un prénom. C'est peu, mais c'est un début.

20

Dans l'ascenseur, Ema est restée silencieuse.

— Si on prend le premier bus pour le Connecticut demain matin, on pourrait être au lycée de Jared à 10 heures, ai-je dit.

— D'accord.

— Qu'est-ce qu'il y a ?

— Rien.

— Ema ?

Je ne l'ai pas lâchée du regard jusqu'à ce qu'elle réponde.

— OK, je sais très bien à quel point tu veux t'intégrer à cette équipe.

— Et ça te fait peur.

— Pardon ?

— Tu penses que je vais passer plus de temps avec eux qu'avec toi ?

Ema a secoué la tête.

— Ce que tu peux être débile, par moments.

— Ce n'est pas ça ?

— Non, pas du tout.

Une fois dehors, je me suis arrêté pour prendre une grande inspiration. L'air frais m'a fait du bien. Dans les hôpitaux, l'atmosphère est toujours pesante et imprégnée d'une odeur chimique qui vous prend à la gorge.

— Alors quoi ?

— Laisse tomber.

— Allez, ne sois pas comme ça. Parle-moi.

— Quand on dit à certaines personnes que le four est chaud, elles évitent de le toucher. Mais d'autres ne peuvent pas s'en empêcher. Elles doivent ressentir la douleur.

— Ça, c'est profond. Mais ce ne serait pas plutôt une poêle ?

Elle a posé les mains sur mon bras. Dans le clair de lune, j'ai vu ses yeux se lever vers moi. Nous sommes restés là pendant une seconde, et une drôle d'idée m'a frappé : j'avais envie de l'embrasser.

C'était, je crois, la première fois que j'y pensais consciemment. Nous étions toujours restés dans la zone « purement amicale ». Mais en la voyant dans cette merveilleuse lumière, j'avais envie de prendre son visage entre mes mains et de l'embrasser.

— Tu vas te brûler, a-t-elle repris. Je voudrais te protéger de la douleur, mais c'est impossible. Tout ce que je peux te dire, c'est que quand tu auras mal, je serai là pour toi.

— Moi aussi je serai là pour toi. Toujours.

— Toujours, a répété Ema.

On s'est regardés un long moment. J'allais lever les mains vers son visage quand une voiture est passée à côté de nous en klaxonnant.

— Prenez-vous une chambre ! a crié le chauffeur.

Le charme était rompu.

Ema a retiré les mains de mon bras et fait un pas en arrière. Puis nous avons recommencé à marcher en silence. Aucun de nous deux n'en parlerait : nous allions faire comme si ce moment n'avait jamais existé. À chaque pas, il s'éloignait davantage, comme si nous laissions ce presque baiser sur le parking de l'hôpital. La tension est retombée.

Nous redevenions de simples amis.

Lorsque nous sommes arrivés au croisement, Ema s'est engagée dans la rue qui menait à la maison incendiée de la femme chauve-souris. J'ai continué de marcher à sa hauteur.

— Qu'est-ce que tu as en tête ?

— Il y a des tunnels sous la maison. C'est toi qui me l'as dit. Et quand nous sommes allés dans la cave, nous avons trouvé un indice.

— Tu penses qu'on pourrait en trouver un autre ?

Elle a haussé les épaules.

— Ça vaut le coup d'essayer.

J'avais eu la même idée, bien sûr. Il faisait noir : ce serait plus facile de s'approcher sans être vus. D'un autre côté, la nuit rendait cet endroit encore plus angoissant qu'en plein jour. Nous nous sommes arrêtés sur le trottoir.

Devant nous, les vestiges de la maison dressaient leurs formes menaçantes à la faible lumière des réverbères. Elle avait été bâtie juste à la lisière des bois. C'était étonnant, d'ailleurs, qu'aucun arbre n'ait pris feu.

Quelles horreurs cette maison avait-elle vues au cours des années ? me suis-je demandé.

Nous n'avions pas de lampe électrique, mais nos portables étaient équipés de torches. J'ai préparé l'appli, même si je ne comptais pas l'utiliser avant d'être au sous-sol. La lumière pourrait attirer l'attention de voisins trop curieux. Ils appelleraient la police, et ça risquait de mal se terminer.

Notre progression a été stoppée par des dizaines de pancartes ACCÈS INTERDIT et DÉFENSE D'ENTRER. Le ruban adhésif jaune entourant les ruines calcinées scintillait comme un réflecteur sur le vélo d'un enfant.

— C'est bizarre, a dit Ema.

— Quoi ?

— Toutes ces mesures de sécurité. C'est un peu exagéré.

Moi aussi, ça m'avait étonné. La police et les pompiers tenaient-ils tant à interdire l'accès à la zone ? Ces pancartes n'avaient pas l'air réglementaires : on devait pouvoir les acheter dans n'importe quel magasin de bricolage. Était-ce Lizzy Sobek qui les avait mises ? J'en doutais. D'autres personnes travaillant pour Abeona ? Peut-être Dylan Shaykes, le chauve dont j'avais récemment appris le nom ?

Mais peu importait. Je me fichais de ces mises en garde : j'avais l'intention d'entrer. Il y avait peut-être des indices concernant Jared Lowell dans les entrailles de cette propriété – ou, plus probablement, des informations sur l'ennemi juré de mon père, le mystérieux Luther sauvé par Abeona, et dont la photo figurait dans ce couloir qu'il avait réduit en cendres.

— Autre chose, a chuchoté Ema.

— Quoi ?

— Pourquoi Luther a-t-il mis le feu à la maison ?

— Parce que j'étais à l'intérieur.

Il faisait trop sombre pour voir son visage, mais j'ai deviné sa moue sceptique.

— Pourquoi ne pas plutôt... je ne sais pas... te

tirer dessus ou te poignarder ? Quel était l'intérêt de faire brûler la maison entière ?

Je comprenais son raisonnement.

— Parce qu'il voulait détruire des preuves.

— Possible.

— Et certaines de ces preuves…

— … sont peut-être encore dans les tunnels sous la maison, a fini Ema à ma place.

Nous étions arrivés à l'endroit où se situait le perron avant l'incendie. Je me rappelais l'état de délabrement de la maison : elle avait paru trembler jusque dans ses fondations quand j'avais frappé à la porte, et sa peinture était si vieille qu'elle s'écaillait comme une peau qui pèle.

De la bâtisse ne restait plus désormais qu'un tas de ruines, ce qui n'atténuait pas pour autant son pouvoir de fascination. Bien que l'incendie ait eu lieu quelques jours plus tôt, j'ai été assailli par une odeur âcre. Il n'y avait plus ni fumée ni braise, mais de la vapeur semblait monter des décombres. J'ai songé à ce que cette maison avait abrité. J'ai songé qu'une rescapée de l'Holocauste avait vécu ici en secret pendant de nombreuses années. J'ai songé à tous les enfants qui avaient été sauvés, à ceux qui avaient été cachés ici, soignés ici, qui avaient raconté leur histoire ici.

Les murs avaient peut-être disparu, mais ces voix continuaient à chuchoter à nos oreilles.

Ema m'a pris la main quand nous avons marché au milieu des débris. Nous étions déjà venus : nous connaissions le chemin. Autrefois, la cheminée se trouvait à gauche. Dessus, il y avait eu une vieille photo de la femme chauve-souris au milieu d'un groupe de hippies, probablement prise dans les années 1960. J'avais sauvé le cliché des flammes. Il était rangé dans un tiroir à côté de mon lit.

Il ne restait plus rien dans la pièce : le canapé, la vieille chaîne stéréo sur laquelle la femme chauve-souris passait ses albums de rock, le fauteuil, l'armoire… tout avait été réduit en poussière et en suie.

J'ai allumé l'appli lampe torche de mon portable et gardé le faisceau lumineux braqué vers le sol. La dernière fois que nous étions venus ici, l'escalier était bloqué par des gravats que nous avions dû dégager.

J'ai éteint l'appli. OK, je savais où aller.

Ema m'a suivi.

— Je vais descendre en premier pour m'assurer qu'il n'y a pas de danger.

— Parce que tu es un homme fort et courageux ?

— Parce que j'y suis déjà allé, tu t'en souviens ?

— Oui, tu m'avais obligée à rester en haut, tu t'en souviens ?

J'ai soupiré.

— Tu veux y aller d'abord ?

— Et heurter l'ego du héros ? Sûrement pas.

La lune projetait juste assez de lumière pour me laisser entrevoir son sourire moqueur. J'aurais voulu la secouer gentiment. Ou peut-être l'embrasser.

Bon sang, il fallait que j'arrête de penser à ça.

L'ouverture était un trou béant. J'ai inspecté le fond à la lueur de mon portable. L'escalier n'avait pas l'air suffisamment solide pour supporter mon poids, mais je n'avais pas le choix. De toute façon, je ne tomberais pas de très haut. Il fallait juste que je m'y prépare.

En posant le pied sur la troisième marche, j'ai entendu un craquement. J'ai sauté pour éviter que tout l'escalier ne cède et j'ai atterri sur le sol de béton.

— Ça va ? m'a demandé Ema.

— Ouais.

— Je descends.

— Attends une seconde.

J'ai rallumé mon appli lampe torche et balayé la pièce avec. Dans un coin, il y avait une machine à laver et un sèche-linge qui semblaient dater de l'époque d'Eisenhower. De vieux vêtements étaient empilés du côté gauche. J'ai ouvert deux cartons, mais ils ne contenaient que des cochonneries. Pas de dossiers, pas d'indices, rien que de la poussière et de la suie.

— Inutile, lui ai-je dit. Il n'y a rien, ici.

— Tu en es sûr ?

J'ai de nouveau balayé le sol avec la torche. C'était là que j'avais ramassé la photo la dernière fois que nous étions venus. Mais il n'y avait rien cette fois. Enfin, j'ai levé mon portable vers l'endroit où je savais trouver la réponse.

La porte blindée.

Je l'avais repérée la dernière fois. Alors que toute la maison était en ruine, cette porte semblait plus solide que jamais. J'ai posé la main dessus. Sous la suie, j'ai vu luire le métal. J'ai essayé de tourner la poignée.

Verrouillée.

J'ai donné un coup d'épaule dans le montant, qui n'a pas bougé d'un millimètre.

Je devais pourtant découvrir ce qu'il y avait derrière cette porte.

Je ne réussirais pas à passer par là, mais je ne m'avouais pas vaincu. Il fallait seulement trouver une autre entrée.

— Mickey ?

— Je remonte.

J'ai testé la résistance des premières marches, qui semblaient assez solides, et commencé à grimper. À mi-chemin, Ema m'a tendu la main pour m'aider. Je n'en avais pas besoin, mais si je l'avais refusée, j'aurais eu droit à une autre pique sur mon sexisme. Je l'ai donc saisie – un geste peut-être encore plus sexiste.

— Qu'est-ce qu'on fait, maintenant ? m'a-t-elle demandé quand je l'ai rejointe.

— On essaie par le garage. Le jour où Dylan m'a amené ici, il m'a fait prendre un tunnel partant de là-bas et menant à la maison. J'ai vu d'autres couloirs et d'autres portes. Je parie qu'un passage conduit à cette porte blindée.

Le garage se trouvait dans les bois, à cinquante mètres de là. D'accord, c'était bizarre, mais tout était bizarre ici. La forêt arrivait presque jusqu'à la maison, comme si les arbres avaient avancé en douce une nuit et colonisé le jardin de derrière. Au début, ça m'avait paru fou. Maintenant, bien sûr, j'en comprenais mieux l'utilité. Une route traversait les bois. On pouvait donc rejoindre le garage en voiture sans risquer d'être vu. Et utiliser le tunnel qui partait de là pour entrer dans la maison sans se faire remarquer.

Le refuge Abeona s'entourait de secrets.

La porte du garage était verrouillée, mais elle n'était pas blindée. Un bon coup de pied dans le verrou au-dessus de la poignée a suffi à la faire céder.

— Donc, on entre par effraction, a commenté Ema.

— J'en ai bien l'impression.

Elle a haussé les épaules et s'est engagée la première. J'ai pointé la torche par terre et dit :

— Stop !

— Quoi ?

J'ai montré le sol : il y avait des empreintes de pas dans la poussière.

J'ai posé un pied à côté de l'une d'elles. Je chausse du 47. L'empreinte était à peine plus petite, ce qui signifiait qu'elle devait appartenir à un homme adulte.

Avec ma torche, j'ai suivi les traces de pas jusqu'à…

… la trappe menant au tunnel. Elles s'arrêtaient là.

N'étant pas du genre à passer à côté d'une évidence, j'ai dit :

— Quelqu'un est venu ici récemment.

— Et y est peut-être encore.

Silence.

— Je vais…

— Si tu me dis « Je vais y aller tout seul », je te frappe.

— Dans ce cas, personne n'y va.

— Pardon ?

— Spoon est paralysé. Il s'est fait tirer dessus. Je ne veux plus qu'on prenne de risques.

Ema a secoué la tête.

— On est obligés de le faire, Mickey. Tu le sais.

— On est obligés de rien. Imagine que Luther soit en bas.

— Dans ce cas, on le coince.

— Tu rigoles ?

Ema a fait un pas vers moi.

— Qu'est-ce que tu proposes, Mickey ? Qu'on rentre chez nous ?

Je voulais qu'elle rentre chez elle. Mais je savais que c'était peine perdue.

— On fera attention, a-t-elle dit. D'accord ?

Avais-je le choix ?

— D'accord.

Je me suis penché pour ouvrir la trappe, et nous avons tous deux regardé vers l'intérieur du tunnel.

Rien d'autre qu'un trou noir.

— Super, ai-je dit.

Ema avait déjà allumé la lampe torche de son portable et éclairait l'échelle qui descendait vers les profondeurs.

— Prem's, a-t-elle lancé.

Puis elle a posé le pied sur le premier barreau.

— Laisse-moi y aller.

— Je n'ai pas confiance. Tu vas regarder sous ma jupe.

— Tu es en jean.

— Oups !

Elle a étouffé un rire nerveux et commencé à descendre. J'ai suivi. Une fois en bas, Ema a dirigé sa torche droit devant. Le faisceau lumineux, quoique faible, a confirmé ce que je savais déjà : nous étions dans un tunnel. Au bout, si on bifurquait aux bons endroits, on se retrouverait derrière la porte blindée.

La question était : qu'allait-on découvrir d'autre ?

Juste avant qu'elle pénètre dans le passage, j'ai posé une main sur son bras et porté un doigt à mes lèvres pour lui intimer le silence. Puis j'ai tendu l'oreille.

Rien.

C'était bon signe. Les sons résonnaient, ici. Si Luther ou quiconque avait bougé, nous l'aurions entendu. Bien sûr, ça ne signifiait pas qu'il n'y avait personne dans ces tunnels. Sans compter que, s'il y avait quelqu'un, cette personne nous aurait elle aussi entendus descendre l'échelle. Luther ou un autre était peut-être tapi quelque part, prêt à bondir.

— On va avancer doucement, ai-je murmuré.

Ema a hoché la tête.

Et nous nous sommes engagés dans le tunnel. Je me demandais comment il avait été creusé. Pas sûr que la municipalité ait donné son autorisation. Lizzy Sobek avait-elle engagé des ouvriers ? Des volontaires y avaient-ils travaillé ? Des personnes « choisies » par le refuge Abeona ?

Peut-être. Peut-être que mon père avait participé aux travaux.

Mais j'avais du mal à y croire. Le tunnel paraissait trop vieux. Combien de temps avait-il fallu pour le percer ? Et qu'importait, finalement ?

Nous sommes arrivés devant une porte.

Je me rappelais l'avoir vue la dernière fois que j'étais venu. Dylan Shaykes, qui m'accompagnait, m'avait dit de continuer tout droit. J'ai essayé de me remémorer la scène. Avait-il l'air effrayé ? Non. Il m'avait demandé d'avancer parce qu'on m'avait amené ici dans le but de rencontrer la femme chauve-souris.

J'ai cherché la poignée.

Il n'y en avait pas.

En regardant de plus près, j'ai aperçu le trou d'une serrure. Rien d'autre. La paroi de la porte était lisse. Et blindée elle aussi. Je l'ai poussée, sans résultat.

Qu'est-ce qu'Abeona cherchait à cacher ?

Nous nous apprêtions à poursuivre notre chemin quand Ema a dit :

— Mickey, regarde.

Au début, je n'ai rien vu puis, suivant des yeux le faisceau lumineux jusqu'au sol, j'ai découvert une petite manette, semblable à une poignée d'alarme.

— Qu'est-ce que tu en penses ? lui ai-je demandé.

— J'ai très envie de l'actionner.

Elle a tendu la main avant moi, saisi la manette et tiré. Au début, il ne s'est rien passé. Puis elle a tiré plus fort, et le levier a cédé avec un bruit sourd.

Le mur à côté de nous s'est mis à bouger.

Surpris, on a fait un pas en arrière. C'était bizarre. Le panneau s'est avancé, avant de glisser sur la droite et de recouvrir la porte blindée.

— Qu'est-ce que… ?

La porte avait disparu. Complètement camouflée.

Pendant un moment, on est restés là, s'attendant plus ou moins à ce qu'il se passe encore quelque chose. Je me demandais s'il y avait d'autres portes dans ce tunnel.

Ou d'autres manettes.

— Tire-la encore, ai-je dit.

Ema a obéi. Le mur a grincé, avant de coulisser pour reprendre sa position initiale. La porte avait reparu. Je l'ai poussée, espérant que la manette l'aurait déverrouillée, mais ce n'était pas le cas.

— Je ne comprends rien, ai-je dit.

— Moi non plus. On avance ?

J'ai hoché la tête. On n'avait pas grand-chose de plus à faire là.

Un peu plus loin, le tunnel se séparait en deux. J'ai essayé de me souvenir quel embranchement j'avais pris la dernière fois. En fait, je ne me rappelais même plus la fourche. Il faut dire que j'étais assez distrait : Dylan Shaykes, que j'appelais alors le Chauve, m'emmenait vers la maison.

Quel côté avions-nous pris ? Gauche ou droit ?

Droit, ai-je pensé. Je n'ai pas un sens de l'orientation très développé, mais la maison me semblait être par là. De plus, le passage de droite paraissait plus large.

J'allais braquer ma torche vers le tunnel de gauche quand j'ai entendu un bruit. Je me suis figé.

— Quoi ? a murmuré Ema.

— Tu as entendu ?

— Non, rien.

Nous sommes restés immobiles. Une fois encore, j'ai cru discerner quelque chose, mais sans pouvoir dire ce que c'était. Mon imagination ? Peut-être. Ce bruit semblait très lointain. Ça vous est déjà arrivé de percevoir un son si ténu, si distant, si étouffé que vous n'êtes même pas sûr de sa réalité ? Comme si vos oreilles vous jouaient un tour ?

Là, c'était la même chose.

— Tu entends ? ai-je redemandé.

Et, peut-être parce que nous sommes complètement en phase tous les deux, Ema a répondu :

— Je crois. Un son très faible. Mais ça peut être un vieux tuyau. Ou la maison qui grince. C'était presque imperceptible.

— Je sais.

— Qu'est-ce qu'on fait ?

— En tout cas, on ne va pas s'attarder.

J'ai dirigé la torche vers la gauche. Quand nous avons découvert ce qui se trouvait là, Ema a dit :

— Bingo !

Peut-être, ai-je pensé.

La première chose que nous avons vue a été une vieille télé. Je n'aurais pas su dire son âge. Ce n'était pas à proprement parler une antiquité – pas comme le frigo bruyant qui avait lâché chez la femme chauve-souris –, mais une épaisse console dotée d'un écran qui ne devait pas mesurer plus de vingt centimètres.

Un appareil semblable à un magnéto géant et démodé y était raccordé.

— C'est pour regarder des cassettes VCR, m'a dit Ema. On en a un comme ça dans la salle de projection.

Je suis entré dans la pièce. Sur l'étagère au-dessus, il y avait des dizaines de cassettes, alignées comme des livres. J'ai commencé à les sortir.

— Je ne crois pas qu'elles soient faites pour un système VCR, ai-je dit.

Myron conservait des enregistrements de ses matchs de lycéen sur de vieilles bandes VCR. Celles-ci étaient légèrement différentes – un peu plus petites et moins rectangulaires. J'avais espéré que les étiquettes m'éclaireraient, mais il n'y avait que des chiffres écrits dessus.

— Mickey ?

En entendant l'intonation d'Ema, mon sang s'est glacé dans mes veines. Je me suis lentement tourné vers elle. Elle avait les yeux écarquillés. La main posée sur le dessus de la télévision.

— Qu'est-ce qu'il y a ?

— La télé… Elle est chaude. Quelqu'un vient de s'en servir.

Nous nous sommes figés une fois encore, l'oreille tendue.

Un autre bruit. Bien réel, celui-là.

Ema a pressé un bouton sur le magnétoscope, et une cassette s'est éjectée. Elle l'a fourrée dans son sac en disant :

— On se tire d'ici.

Je n'ai pas discuté, et nous avons filé par où nous étions arrivés. Nous n'avions pas fait dix mètres quand le bruit a retenti derrière nous. Je me suis retourné.

Luther était là.

Il se tenait au bout du tunnel et nous regardait. L'espace d'une seconde, ni lui ni moi n'avons bougé. Même là, en bas, dans cette faible lumière, je distinguais ses cheveux blond vénitien et ses yeux verts. La première image que j'avais eue de lui m'est revenue – c'était le jour de l'accident de voiture. Blessé, hébété, j'avais encore du mal à réaliser ce qui venait de se produire. Tournant la tête, j'avais vu mon père, inerte. Un ambulancier m'avait lancé un regard, avant de secouer la tête.

Cet ambulancier se trouvait à l'autre extrémité du tunnel.

Luther a serré les poings. Il paraissait furieux. Quand il a fait un pas vers nous, Ema m'a attrapé le bras en criant :

— Cours !

Je n'ai pas bougé.

Il a fait un pas de plus.

— Mickey ?

— Va-t'en !

— Quoi ?

— Va-t'en !

Moi, je ne bougerais pas d'ici. Pas question de le laisser s'échapper une nouvelle fois. Ce Luther, cet homme que je ne connaissais pas, était l'ennemi juré de mon père, et donc le mien.

La tombe en Californie ne recelait peut-être pas les réponses que j'attendais. Mais ce type les détenait, j'en étais sûr.

Je refusais de le laisser disparaître.

Luther et moi nous faisions face, tels deux pistoleros dans un vieux western. Je ne savais pas trop comment m'y prendre. Quand nous vivions à l'étranger, mon père avait insisté pour que je m'initie aux arts martiaux des différents pays où nous nous étions installés. J'étais grand. J'étais costaud. Je savais me battre.

Mais la plupart des arts martiaux consistent à utiliser l'attaque de l'adversaire. Du coup, je n'avais jamais appris, par exemple, à foncer vers quelqu'un dans un tunnel pour le renverser. Je savais bien mieux contrer ce genre d'agression, rouler avec l'attaquant et le neutraliser.

J'ai donc attendu qu'il vienne vers moi.

Il a attendu aussi.

Je me suis demandé s'il savait se battre. Mais peu importait. Il ne sortirait pas d'ici. Il ne s'approcherait pas d'Ema. Ça se passerait entre lui et moi.

Inutile de patienter plus longtemps.

J'ai commencé à calculer la distance et à préparer un angle d'attaque – j'allais viser les jambes – quand j'ai entendu une voix derrière nous.

— Qu'est-ce que… ?

Quelqu'un descendait par la trappe du garage. Et j'ai cru reconnaître la voix.

— Police de Kasselton ! Personne ne bouge !

C'était le commissaire Taylor, le père de Troy. J'ai lancé un regard par-dessus mon épaule. Une seconde, pas plus.

— Bon sang… ! a fait la voix de Taylor. Qu'est-ce que c'est que cet endroit ?

Un autre flic descendait l'échelle derrière lui. Quand j'ai retourné la tête vers l'autre bout du tunnel, j'ai vu Luther partir en courant.

— Non ! ai-je hurlé.

— On ne bouge plus ! a crié Taylor.

Le faisceau de sa torche était braqué sur moi.

— Mickey Bolitar ! Pas un geste !

Je l'ai ignoré et je me suis élancé dans le tunnel. Quand j'ai bifurqué à droite, j'ai vu une porte – la porte blindée de la cave, peut-être ? – claquer.

Je me suis jeté sur le montant.

— Ça suffit, Mickey, a dit le commissaire Taylor.

La main sur la poignée, j'ai essayé d'évaluer le temps qu'il me faudrait pour ouvrir cette porte et la franchir. Trop de temps. Taylor et l'autre flic me seraient déjà tombés dessus.

C'est alors que nous avons entendu le cri. Les deux policiers se sont retournés.

— Au secours ! Au secours !

Aussitôt, j'ai compris. C'était Ema, ce génie. Elle n'était pas en danger, je le devinais à sa voix trop forcée. Elle avait hurlé pour détourner leur attention.

Sans attendre, j'ai ouvert la porte et je me suis retrouvé dans la cave. Il faisait très sombre. J'ai entendu un craquement au-dessus de ma tête. Braquant le faisceau lumineux vers l'escalier, j'ai vu la jambe de Luther sur la marche du haut.

Je me suis précipité, j'ai bondi, saisi sa cheville et je m'y suis accroché comme si ma vie en dépendait. Suspendu dans l'air, j'ai senti son autre pied s'écraser sur mon bras, mais je m'en fichais. Je tenais bon.

— Lâche-moi ! a hurlé Luther.

— Où est mon père ?

— Il est mort !

Je ne le croyais pas. Et j'avais un plan.

Si je parvenais à prendre appui sur l'escalier avec mes jambes, j'aurais assez d'énergie pour faire basculer Luther sur le sol.

— Lâche-moi !

— Non !

Arquant le dos, j'ai propulsé mes jambes vers les marches. Derrière moi, j'ai entendu la porte s'ouvrir.

— On ne bouge plus !

Encore ce foutu Taylor.

— Il s'enfuit ! ai-je crié.

Taylor et son sous-fifre m'ont attrapé par les jambes. J'avais beau m'agripper de toutes mes forces à la cheville de Luther, je sentais mes doigts glisser.

— Il a tué mon père !

Je me suis écrasé par terre. Là-haut, j'ai vu Luther sourire et disparaître.

— Ne bouge pas ! m'a crié Taylor.

— Il a tué mon père ! Arrêtez-le !

— Qu'est-ce que tu racontes ?

Mais c'était inutile. Luther avait pris la fuite. Le commissaire Taylor s'est relevé. L'autre policier m'a fait rouler sur le ventre et m'a passé les menottes.

Ema est apparue.

— Laissez-le tranquille ! Il n'a rien fait !

— Vous êtes tous les deux en état d'arrestation.

— Pour quel motif ?

— Un voisin vous a vus pénétrer par effraction dans le garage. C'est un délit. Tu t'en es toujours bien sorti jusqu'ici, Mickey, mais pas cette fois.

— Écoutez-moi, ai-je plaidé. Vous devez retrouver cet homme.

— Je n'ai à retrouver personne, a dit Taylor. Je t'ai ordonné de t'arrêter. Tu ne l'as pas fait. Tu as résisté à une arrestation. Désolé, Mickey, tu as largement dépassé les bornes.

— Mais si vous vouliez bien nous écouter... a commencé Ema.

— Tu veux que je te passe les menottes à toi aussi, petite demoiselle ?

— Quoi ?

— Tourne-toi.

— C'est une blague ?

— Tourne-toi !

Ema a obéi, et j'ai regardé, incrédule, le commissaire lui menotter les poignets.

Ils nous ont fait retraverser le tunnel. Taylor regardait autour de lui comme s'il n'en revenait toujours pas.

— C'est quoi, cet endroit ? m'a-t-il demandé.

Je n'ai pas répondu.

— Je t'ai posé une question, Mickey.

— Je ne sais pas.

— Alors, pourquoi vous vous êtes introduits dans ce garage ?

— Je ne sais pas de quoi vous parlez.

J'ai vu son visage virer à l'écarlate.

— C'est bon. Ma patience a des limites. Je t'emmène à la prison municipale de Newark. Tu vas passer un petit moment là-bas. Population adulte. Je t'ai déjà parlé de ce détenu aux ongles très longs, non ? Tu partageras sa cellule. Jackson ? (Il s'est tourné vers l'autre agent.) On va les enfermer dans la voiture le temps d'inspecter ce tunnel.

Avec nos mains menottées dans le dos, ils ont eu du mal à nous faire grimper l'échelle. Jackson a suggéré de nous les enlever, mais Taylor a refusé. Lorsqu'on s'est retrouvés devant la maison, il a donné ses ordres :

— Toi, tu m'attends là avec eux, pendant que je retourne…

— Que se passe-t-il, ici ?

Nous nous sommes tous figés au son de cette voix. La femme chauve-souris se tenait là sur le trottoir, comme si elle venait de se matérialiser par enchantement. Jackson a étouffé un cri. Il faut dire que Lizzy Sobek était rentrée dans son personnage de vieille folle, avec sa longue robe blanche jaunissante, ses pantoufles élimées et ses cheveux blancs qui flottaient jusqu'à sa taille.

— Madame, a déclaré Taylor en risquant un pas dans sa direction, ces deux-là sont entrés par effraction dans votre garage.

— Absolument pas.

— Euh, si, madame, nous les avons repérés…

— Il n'y a pas de « si, madame » qui tienne, a-t-elle rétorqué. Ils ont le droit d'être là. C'est moi qui leur ai demandé d'aller surveiller mon tunnel.

— C'est vrai ?

— Je viens de vous le dire.

— En ce qui concerne ce tunnel…

— Pourquoi sont-ils menottés ?

— Eh bien, voyez-vous, on m'a signalé qu'ils s'étaient introduits…

— Et je vous ai expliqué que ce n'était pas le cas, n'est-ce pas ?

Elle attendait une réponse.

— Euh, oui, madame.

— Alors, détachez ces enfants immédiatement.

Taylor a fait signe à Jackson, qui a sorti la clé des menottes.

— Madame, pourriez-vous me dire à quoi servent ces tunnels ?

— Non.

— Pardon ?

— Vous avez un mandat ?

— Un mandat ? Non. Comme je vous le disais, nous avons reçu un signalement…

— Ce pays est-il devenu un État policier ? J'ai déjà vécu dans des États policiers. Ce sont des endroits épouvantables.

— Non, madame, ce n'est pas un État policier.

— Dans ce cas, vous n'avez aucun droit de vous trouver sur ma propriété, si ?

— Nous répondions à un appel.

— Passé par erreur, apparemment. Maintenant, savez-vous ce que j'attends de vous ?

— Hum…

Je me délectais de la gêne du commissaire.

— Que nous partions ?

— Exactement. Ne m'obligez pas à le répéter. Allez, ouste !

21

Quand la voiture de police s'est éloignée, la femme chauve-souris s'est dirigée vers le garage. Nous l'avons suivie. Je lui ai posé des questions, auxquelles elle n'a pas répondu. Ema lui a posé des questions, auxquelles elle n'a pas répondu non plus. Elle continuait d'avancer en silence.

Les bois paraissaient plus épais. L'obscurité nous enveloppait comme une couverture.

— Mademoiselle Sobek ? ai-je de nouveau tenté.

Enfin, elle a parlé.

— Qu'êtes-vous venus faire ici ?

— Chercher des indices.

— Sur quoi ?

— Sur Luther.

Je ne la voyais pas, dans le noir.

— Je suppose que vous avez trouvé plus que ça.

— Qui est-il ?

— Je te l'ai dit.

— Il m'a dit que mon père était mort. Est-ce qu'il mentait ?

— Je t'ai déjà expliqué.

— Vous avez entendu sa voix.

173

— Oui.

— Et les morts ne vous parlent jamais.

Elle n'a pas pris la peine de répondre.

Ema a demandé :

— Nous retournons dans le tunnel ?

— Non, Ema, a répondu la femme chauve-souris. Nous n'y retournerons jamais.

— Pourquoi ?

— Il a été découvert. Maintenant, la police connaît son existence.

— Ce n'était pas vraiment un secret. Luther le connaissait.

— Bien sûr, qu'il le connaissait.

— Je ne comprends pas, a dit Ema. Où est-ce qu'on va ?

— Vous deux, vous rentrez chez vous.

— Et vous ?

Elle a levé une main. Et soudain, des phares ont illuminé la nuit. Une voiture avançait sur la route cachée dans les bois. Je n'ai pas été surpris en la voyant. C'était la voiture noire qui me suivait depuis que j'avais emménagé chez Myron. La portière côté passager s'est ouverte.

Le Chauve en est sorti. Comme toujours, il portait un costume noir et des lunettes de soleil alors même qu'il faisait nuit.

— Salut, Dylan, lui ai-je dit.

Il m'a ignoré.

— Rentrez chez vous, a répété la femme chauve-souris. Et ne remettez plus jamais les pieds ici.

— Qu'est-ce qu'on est censés faire ?

— Je te l'ai déjà dit. Tu t'en souviens, n'est-ce pas ?

J'ai hoché la tête.

— Vous voulez qu'on retrouve Jared Lowell.

La femme chauve-souris a contemplé Ema d'un regard pénétrant. Elle a posé les mains sur ses épaules.

— Tu es plus forte que tu ne le crois, Ema.

Ema m'a lancé un coup d'œil, avant de reporter son regard sur la vieille dame.

— Euh, merci.

— Tu aimes ce garçon.

— Je ne sais pas trop. En fait, je ne le connais même pas.

— Ça fera mal.

— Qu'est-ce qui fera mal ?

— La vérité.

Ema et moi nous tenions immobiles.

— Rentrez chez vous. Tous les deux. Et ne revenez plus jamais ici.

Lizzy Sobek a observé sa propriété comme si elle la voyait pour la première fois – ou, plutôt, la dernière. Je me suis demandé ce qu'elle voyait, quelles histoires recelaient ces lieux, combien d'enfants sauvés et terrifiés étaient passés par là.

— Aucun de nous ne devrait revenir, a-t-elle ajouté.

La femme chauve-souris a paru flotter jusqu'à la voiture. Dylan le Chauve lui a ouvert la portière arrière. Sans un mot de plus, elle s'est glissée à l'intérieur.

Dylan a repris sa place côté passager, et la voiture noire s'est éloignée.

22

Cette nuit-là, j'ai rêvé de ma mère.

Je ne me rappelle pas les détails. Le rêve était assez surréaliste. Ma mère était jeune, plus jeune que je ne l'avais jamais connue. À certains moments du rêve, elle portait une tenue de tennis, à d'autres non. En tout cas, elle était en pleine forme, et elle souriait comme elle le faisait autrefois, avant la mort de mon père, avant que les démons s'emparent d'elle et me l'enlèvent.

Pourquoi avait-elle fait incinérer papa sans m'en parler ?

Je n'en avais aucune idée.

Pourquoi aurait-elle fait enterrer une urne funéraire comme s'il s'agissait d'un corps ? Aucune idée non plus. Pourtant, j'avais vu le formulaire d'autorisation : il était bien signé de sa main. N'est-ce pas ?

J'avais déjà été suffisamment idiot pour me laisser berner par un simple photomontage et croire que Luther était un vieux nazi de la Seconde Guerre mondiale. Qui sait si, cette fois, la réponse n'était pas aussi simple ? Ma mère n'avait peut-être pas signé ce document. Quelqu'un avait peut-être tout bêtement imité sa signature.

D'où cette question évidente : pourquoi ?

Réponse : avance étape par étape. Assure-toi que ta mère a bien signé le papier. Si ce n'est pas le cas, renseigne-toi auprès du témoin. Ensuite, tu aviseras.

Pour commencer, je devais voir ma mère.

— Tu es bien matinal, a dit Myron d'un ton un peu trop joyeux.

— Je dois aller quelque part avec Ema.

— Où ?

Je n'avais pas envie de lui parler de notre expédition au lycée Farnsworth.

— Quelque part.

Ma réponse n'a pas eu l'air de lui plaire, mais il n'a pas insisté. Il était en train de manger un bol de céréales pour enfants bourrées de glucides, tout en lisant le dos du paquet. Il faisait ça tous les matins.

— Tu en veux ?

Une question qu'il me posait aussi tous les matins. Mais autant me verser du sucre en poudre dans la gorge.

— Non, merci. Je vais me faire des œufs brouillés.

— Je peux te les préparer, si tu veux.

Ça aussi, ça faisait partie du rituel matinal. Une fois, j'avais accepté. Ses œufs brouillés étaient immondes. Myron ne sait pas cuisiner. Même réchauffer une pizza est au-dessus de ses capacités.

— Ça va, je te remercie.

J'ai cassé les œufs et ajouté un peu de lait. Myron m'avait acheté de l'huile de truffe. C'était un secret que m'avait transmis ma mère. L'ingrédient n'était pas donné, mais une petite goutte suffisait à sublimer les œufs.

— Je dois voir ma mère, ai-je dit.

Myron a levé les yeux du paquet de céréales.

— C'est impossible.

— Je sais qu'elle est en sevrage.

— Et tu sais que les médecins ont interdit les visites pendant encore au moins deux semaines.

— C'est important.

Myron s'est levé.

— Tu veux l'interroger à propos de la crémation ?

— Oui.

— Ça ne servira à rien. Enfin, réfléchis. Qu'est-ce qu'elle va te dire, Mickey ?

Je n'ai pas répondu.

— Si ta mère te dit qu'elle ne l'a pas fait, c'est peut-être qu'elle était trop défoncée pour s'en souvenir. Si elle dit qu'elle l'a fait... (Myron s'est interrompu une seconde.) OK, ça mettrait peut-être un terme à ta quête, quelle qu'elle soit.

— Je vais appeler le centre. Mais je vais avoir besoin de ton soutien sur ce coup-là.

Myron a poussé un long soupir, puis il a fini par accepter.

— Bon, très bien. Mais la guérison de ta mère passe en premier. Tu es d'accord là-dessus ?

Bien sûr, que j'étais d'accord. Tandis que Myron se rasseyait pour finir ses céréales, je me suis retourné vers la cuisinière. J'avais quarante minutes devant moi avant de retrouver Ema à l'arrêt du bus. C'est alors que je me suis souvenu de quelque chose.

— Au fait, Myron ? Je t'ai vu à la salle de sport hier. Tu discutais avec M. Schultz et Randy.

Myron a pris une autre bouchée, comme si de rien n'était.

179

— Vous parliez de quoi ?

— Je connais cette famille depuis très longtemps. M. Schultz a grandi dans cette ville.

— Il est allé au lycée de Kasselton ?

— Oui.

— Il était en classe avec toi ?

— Non, avec ton père.

Je ne savais pas trop quoi faire de cette information.

— Ils se connaissaient bien ?

— Ton père et M. Schultz ? Bien sûr. Depuis l'école primaire.

J'ai essayé de le visualiser, ce monde où le père de Buck et le mien jouaient ensemble à la récré. Ce n'était pas évident.

— Donc, hier, tu discutais avec Randy et lui.

— Oui.

— De quoi ?

Il a pris une nouvelle cuillerée, l'a enfournée dans sa bouche et s'est mis à mâcher ses céréales en faisant trop de bruit compte tenu du temps qu'elles avaient passé dans le lait.

— Tu sais ce que je fais comme métier ?

— Je croyais que tu avais pris ta retraite.

— Temporairement, oui. Enfin, j'ai vendu mon agence. Mais sais-tu ce que je faisais avant ?

— Tu étais agent de sportifs, non ?

— Exact.

Remuant mes œufs avec la cuillère en bois d'une main, j'ai baissé le feu de l'autre.

— C'est pour ça qu'ils voulaient te voir ?

— Pardon ?

Est-ce qu'il faisait exprès d'être aussi bouché ?

— Randy veut te prendre comme agent ?

180

Il a répondu très lentement :

— Je ne pense pas, non.

— Alors, quoi ?

— Pour devenir agent, j'ai fait des études de droit.

Je savais tout ça. Lorsque sa carrière de basketteur s'était brutalement interrompue, il était entré à Harvard et était devenu avocat.

— Et alors ?

— Alors, ce que les gens me racontent est confidentiel.

— Quand tu es leur avocat.

— Exact.

— Donc, tu es l'avocat de Randy ?

— Non.

— Tu m'embrouilles, là.

Myron s'est mis à se trémousser sur sa chaise.

— Pourquoi ça t'intéresse autant ?

— Pour rien, ai-je répondu d'un ton que je voulais désinvolte. Tu sais qu'il a un frère qui s'appelle Buck ?

— Oui, je sais. Il est en terminale. Et tu as eu des petits soucis avec lui, pas vrai ?

— C'est fini.

— M. Schultz m'en a parlé. Buck est parti vivre chez sa mère, suite à un différend concernant la garde. Son père avait l'air très contrarié.

— C'est ça dont il voulait te parler ?

— Je ne suis pas spécialiste des divorces.

— Ça veut dire non ?

— Ça veut dire non.

Puis Myron s'est remis à lire le dos du paquet de céréales avec autant de zèle que s'il s'agissait d'un texte biblique.

— Tu ne me diras pas de quoi vous avez parlé ?

Il n'a même pas daigné lever les yeux.

— Non, Mickey.

— Peux-tu au moins me dire si ça a un rapport avec Buck ?

Myron a semblé évaluer la question, avant de répondre :

— Ça n'en a pas.

— Donc, ai-je insisté, le fait que Randy veuille te parler juste au moment où son frère part brusquement vivre chez sa mère n'est qu'une coïncidence ?

— Oui.

Mais lui non plus n'était pas convaincu, je l'entendais à sa voix.

23

J'ai retrouvé Ema à l'arrêt de bus.

— Ce n'est pas une cassette VCR, a-t-elle déclaré.

— Alors, c'est quoi ?

— Un truc appelé Betamax, fabriqué par Sony. Le système était en vogue dans les années 1980, mais il est devenu obsolète.

— Comment fait-on pour la regarder ?

— Je ne sais pas. On pourrait essayer de trouver un lecteur sur eBay. Ou retourner dans la maison de la femme chauve-souris pour utiliser celui qui est dans le tunnel.

— Tu as entendu ce qu'elle a dit ?

— On ne doit pas y remettre les pieds. Elle était assez catégorique.

Bien que la circulation ait été ralentie près du pont Tappan Zee, nous avons fait le trajet en moins de trois heures. Comme il y avait trois élèves du lycée Farnsworth dans le bus, reconnaissables à leur uniforme, nous les avons suivis. Le campus se trouvait plus près que nous ne l'espérions, à moins d'un kilomètre à pied.

Nous marchions à un mètre derrière les trois garçons.

Par moments, ils se tournaient pour nous lancer des coups d'œil, se demandant sans doute pourquoi nous les suivions. Ema, surtout, suscitait leur curiosité, mais je n'aurais pas su dire s'ils se moquaient d'elle. Comme à son habitude, elle avait adopté le total look noir : vêtements, cheveux, vernis à ongles et rouge à lèvres. Des tatouages couvraient ses bras et son cou.

La sentant de plus en plus mal à l'aise, j'ai décidé de rompre le silence et d'interpeller les garçons :

— Hé, salut !

Tous trois se sont retournés et nous ont dévisagés.

— Est-ce que vous connaissez Jared Lowell ? leur ai-je demandé.

— Ouais, bien sûr, a répondu l'un d'eux. (Il avait une épaisse tignasse blonde.) Pourquoi, vous êtes des amis à lui ?

J'ai regardé Ema. Nous n'avions pas anticipé la question.

— Euh, plus ou moins.

— Malin, a marmonné Ema en aparté.

Tignasse blonde a demandé :

— Ça veut dire quoi ?

— Rien.

J'avais réussi mon coup : maintenant, le blond m'examinait d'un œil soupçonneux. Nous sommes passés devant un *deli* du nom de Wilke's, où des lycéens faisaient la queue pour s'acheter à déjeuner.

— Euh, je suis son cousin, ai-je précisé sans conviction.

Ema semblait consternée.

— Ah bon ?

— Ouais.

— Vous êtes tous des géants, dans la famille.

— Tu l'as dit.

— Si tu es son cousin, pourquoi tu m'as répondu « plus ou moins » quand je t'ai demandé si vous le connaissiez ?

Ema a croisé les bras : elle aussi était curieuse de voir comment j'allais m'en sortir.

— Ah bon ? J'ai cru que tu me demandais si on était amis. On est cousins. C'est-à-dire plus ou moins des amis. Vous voyez ce que je veux dire ?

J'ai affiché un sourire digne du présentateur du JT local. Plus loin, j'ai repéré le clocher blanc que j'avais vu sur le site Web du lycée Farnsworth. Nous approchions du campus.

— Alors, à plus !

Et nous avons bifurqué en vitesse vers la droite. Ema n'a pas pu s'empêcher de commenter :

— Ouah, quel talent !

— Merci.

— J'étais ironique.

— Oui, moi aussi.

Elle s'est arrêtée.

— Mickey ?

— Oui ?

— Comment tu me trouves ?

— Super.

— Ne te fiche pas de moi.

— Je ne me fiche pas de toi.

Elle a commencé à se ronger un ongle.

— Qu'est-ce qu'il y a ?

— Je tiens beaucoup à ce mec, d'accord ? Je sais que tu n'y crois pas parce qu'on s'est rencontrés sur le Net. Mais je ressens quelque chose pour lui. Il me manque. Ce que nous avons partagé, c'était…

185

Là, j'ai ressenti un pincement au cœur. Comme elle n'avait pas l'air de vouloir finir sa phrase, j'ai insisté :

— C'était quoi ?

Elle a secoué la tête.

— Laisse tomber. Allons-y.

Sur le site Internet, le campus avait l'air magnifique ; dans la réalité, il l'était encore davantage. De vénérables pavillons en brique entouraient une vaste étendue circulaire de pelouse aussi verte et bien tondue qu'un parcours de golf. Il y avait aussi deux terrains de foot et un de base-ball, tous les trois déserts. J'ai regardé l'heure sur mon portable puis consulté l'emploi du temps de Jared.

— Il a cours de littérature comparée. Il sort dans vingt minutes.

— Qu'est-ce qu'on fait en attendant ?

J'ai alors remarqué deux vigiles dans une guérite, dont l'un semblait nous avoir à l'œil.

— On devrait sans doute se faire discrets. C'est un lycée de garçons ; tu ne dois pas passer inaperçue.

Je faisais allusion à son sexe, bien sûr, mais ça allait au-delà de ça. Ce campus paraissait assez vieillot et guindé. Tout l'inverse d'Ema.

— Excusez-moi.

J'avais réagi quelques secondes trop tard. Un autre vigile s'était avancé vers nous, un petit monsieur à la moustache si fournie qu'on aurait dit qu'il s'était collé un cochon d'Inde sous le nez.

— Bonjour, ai-je dit.

— Tu es un élève de ce lycée ?

J'ai eu la tentation de mentir et de répondre oui, mais il m'aurait sûrement demandé ma carte d'étudiant.

Avant que j'aie eu le temps de décider quoi faire, Ema lui a tendu la main d'un geste avenant.

— Bonjour ! a-t-elle dit d'une voix joyeuse et douce, à l'exact opposé de son ton habituel. Je m'appelle Emma.

Le vigile lui a serré la main, hésitant.

— Euh, ravi de te rencontrer.

— Vous vous appelez comment ? a-t-elle poursuivi sans lui lâcher la main.

— Bruce Bohuny.

— Ravi de vous rencontrer, agent Bohuny ! Oh, et voici mon frère, Mickey. Mickey, dis bonjour à l'agent Bohuny.

— Euh, bonjour.

Nous nous sommes serré la main tous les deux.

Ema nous a adressé son sourire à deux mille watts. Qui était cette fille ?

— Agent Bohuny, mon frère souhaiterait visiter le campus avant une inscription éventuelle, et je me suis dit que j'allais l'accompagner. Est-ce que ça pose un problème ?

— Eh bien, il vous faut un pass visiteur.

— Ah bon ? Mickey, tu le savais ?

— Non, je ne savais pas.

— Vous n'avez pas de pass visiteur ? a demandé Bohuny.

— Je suis affreusement désolée, a répondu Ema.

Plus que désolée, elle semblait carrément accablée par cette transgression.

— Que devons-nous faire, agent Bohuny ?

— Le bureau des admissions se trouve dans ce bâtiment, à gauche. (Il nous l'a montré en pointant ses deux index et, semblait-il, sa moustache.) L'entrée est de l'autre côté. Ils vous délivreront un pass. Je peux vous accompagner, si vous voulez.

— Ne vous donnez pas cette peine, a dit Ema en lui serrant encore une fois la main. Nous vous avons déjà retenu assez longtemps. Merci beaucoup, agent Bohuny.

— Pas de quoi.

Nous nous sommes dirigés vers le bâtiment administratif, sous le regard de l'agent Bohuny.

— Qui êtes-vous donc ? ai-je demandé à Ema à voix basse.

Elle a lâché un petit rire.

— Et maintenant, qu'est-ce qu'on fait ? ai-je ajouté.

— On continue de marcher.

— Tu as un plan ?

— Oui. Tu vas devoir parler à Jared tout seul.

— Comment ?

— Tu vas aller au bureau des admissions. Tu donneras ton nom et tu expliqueras que tu envisages de t'inscrire et aimerais visiter le campus. On te donnera un pass.

— Et toi ?

— Je ne peux pas jouer à la sœur là-bas. Ils risquent de nous demander des papiers d'identité et, là, on sera coincés. Tu y vas tout seul et tu trouves Jared. Je vous attendrai tous les deux au *deli* devant lequel on est passés.

Sans un regard en arrière, Ema s'est dirigée vers la sortie du campus pendant que j'allais au bureau des admissions. J'avais espéré obtenir un pass sur-le-champ puis aller faire ma petite visite, mais ce n'était pas aussi simple. Il m'a fallu remplir des formulaires, montrer une pièce d'identité, m'inscrire à une visite guidée du lieu à 15 heures et prendre rendez-vous pour un entretien à 16 heures.

— Me serait-il possible de me promener un peu sur le campus ? ai-je demandé, une fois la paperasse terminée. Juste pour me faire une première impression ?

Derrière son bureau, mon interlocutrice a froncé les sourcils puis répondu :

— Venez avec moi.

Oh, oh. Je l'ai suivie dans un long couloir lambrissé de bois, orné des portraits d'anciens directeurs à la mine sévère, qui posaient sur moi leur regard désapprobateur. « Ta place n'est pas ici », semblaient-ils dire, et, du moins aujourd'hui, je ne pouvais pas leur donner tort.

L'employée s'est arrêtée et m'a regardé de haut en bas.

— Vous êtes très grand.

Que voulez-vous que je réponde à ça ?

Elle a ouvert un placard dont elle a sorti un blazer bleu.

— Ici, les lycéens doivent porter un uniforme. Vous ne l'avez pas lu dans la documentation ?

— Ça a dû m'échapper.

— Heureusement que vous avez une chemise à col. Tenez, voici une cravate.

La veste était un peu serrée, mais elle ferait l'affaire. J'ai passé la cravate autour de mon cou et commencé à la nouer alors que nous retournions au bureau. Enfin, la dame m'a remis un pass en me conseillant de le fixer au col de mon blazer.

Ainsi paré, j'ai vérifié l'heure : le cours de littérature comparée finissait deux minutes plus tard. J'ai attrapé au passage un plan plus détaillé du campus et je suis sorti du bureau en m'efforçant de ne pas courir. Jared avait cours en salle 111, dans le bâtiment Feagles, c'est-à-dire le quatrième sur la droite.

Je suis parti en marche rapide, pour arriver quelques secondes avant la sonnerie. Dans la classe, j'ai entendu le raclement des chaises sur le parquet en bois, puis les élèves ont commencé à sortir. Adossé au mur près de la salle 111, j'ai attendu comme si de rien n'était. M. Désinvolte. M. Je-m'occupe-de-mes-affaires.

Douze garçons sont sortis, dont aucun ne ressemblait à la photo de Jared. Aucun ne mesurait plus d'un mètre quatre-vingts. Toujours appuyé au mur comme si je voulais l'empêcher de s'écrouler, j'ai patienté encore un peu, espérant qu'il faisait partie des traînards.

Quelques minutes plus tard, le prof a fini par quitter la salle. Il ne restait plus personne dans le couloir, à part M. Désinvolte.

— Je peux vous aider ?

C'était le prof. J'ai failli lui demander si Jared Lowell avait assisté à son cours, mais je connaissais déjà la réponse. Quant à lui demander s'il savait où le trouver… j'avais retenu la leçon sur les questions foireuses. J'ai donc répondu « Non » et je l'ai remercié, avant de poursuivre mon chemin.

Et maintenant, quoi ?

De retour dehors, j'ai de nouveau été frappé par la beauté spectaculaire de ce campus. Ça devait être génial de vivre ici. Il n'y avait pas que les espaces verts et les terrains de sport… plus loin en contrebas, on apercevait un cours d'eau qui miroitait au soleil, où des élèves ramaient en parfaite synchronisation sur des canoës. Tout ici évoquait l'opulence et les privilèges. Je m'attendais presque à voir commencer une chasse à courre ou un match de polo.

Jared était peut-être malade aujourd'hui. Grâce à Spoon, je savais qu'il vivait au premier étage de la résidence Barna. Autant aller y faire une petite visite. Je n'avais pas grand-chose à perdre... et pas beaucoup d'autres solutions.

La résidence Barna devait être le bâtiment le plus récent de Farnsworth. Contrairement aux autres pavillons, qui étaient en brique, celui-ci présentait une surface en verre réfléchissante. La porte, verrouillée, s'ouvrait avec une carte magnétique. J'attendais depuis à peine dix secondes quand un élève est sorti. Souriant, je lui ai tenu la porte, avant de pénétrer dans la résidence.

Je suis passé maître dans l'art de l'effraction.

Deux garçons jouaient au ping-pong sur une Wii branchée à un écran de télé géant. S'ils étaient toujours en blazer, leurs cravates étaient si relâchées qu'elles auraient aussi bien pu faire office de ceintures. De part et d'autre des joueurs, d'autres garçons les encourageaient avec la même énergie que s'ils avaient été dans un stade de foot. Les vannes et les insultes fusaient dans tous les sens.

Discrètement, je suis monté au premier étage. Je ne connaissais pas le numéro de chambre de Jared, mais c'était inutile : il y avait un nom sur chaque porte. En parcourant le couloir, j'ai été étonné de voir qu'il s'agissait de chambres individuelles. Je m'étais toujours imaginé que, dans ce genre d'établissements, les élèves partageaient leur chambre.

Sur la troisième porte figurait le nom de Jared Lowell, ainsi que sa classe : terminale. J'ai frappé et attendu.

— Alors, qui es-tu, en vrai ?

En entendant la voix, j'ai fait volte-face. C'était Tignasse blonde. À en juger par la serviette nouée autour de sa taille et ses cheveux mouillés, il devait sortir de la douche.

Comme il attendait ma réponse, je me suis lancé :

— Je m'appelle Mickey Bolitar. Je cherche Jared. Je n'ai pas de mauvaises intentions.

— Pourquoi tu le cherches ?

— C'est un peu long à expliquer.

Mais malgré l'eau qui dégoulinait sur son front, il n'avait pas l'air pressé.

— Tu as vu la fille qui m'accompagne ?

— La gothique ?

— Oui. C'est une amie de Jared. Amie sur Internet seulement. Et il a brusquement cessé toute communication. Elle s'inquiétait pour lui.

— Et vous êtes venus uniquement pour ça ?

Ça paraissait bidon, je m'en rendais compte, mais j'ai tout de même répondu :

— Oui.

— Et tu l'as accompagnée, parce que…

— Parce que c'est mon amie et que je voulais l'aider.

— Est-ce que c'est… une sorte de cyberharceleuse ?

— Non, pas du tout. Écoute, je veux seulement le voir pour m'assurer qu'il va bien.

— Tout ça parce qu'il a arrêté de répondre à ses messages ?

— Bon, c'est un peu plus compliqué que ça. Mais tout ce qui m'intéresse, c'est d'être sûr qu'il ne lui est rien arrivé.

— C'est bizarre, ton histoire. Tu en as conscience, hein ?

— Je sais.

Il a pris une grande inspiration. C'était un peu surréaliste, de discuter avec ce fils à papa nu sous sa serviette.

— Tu joues au basket ? m'a-t-il demandé.

Une question qu'on entend souvent quand on mesure plus d'un mètre quatre-vingt-dix.

— Oui.

— Moi aussi. Je m'appelle Tristan Wanatick. Je suis meneur de jeu dans l'équipe du lycée. Jared et moi, on est cocapitaines. Comme on est en terminale, c'est notre dernière année. On devait faire une super saison.

J'ai senti passer comme un courant d'air froid.

— Pourquoi « devait » ?

— On *va* faire une super saison, s'est-il repris, tentant en vain de paraître confiant. Il a dit qu'il allait revenir.

— Qui ça ? Jared ?

— Oui.

— Il n'est pas là ?

Tignasse blonde a secoué la tête.

— Où est-il ?

— Il s'est passé un truc.

Cette fois, le courant d'air était glacial.

— Quoi ?

— Je ne sais pas. Une urgence familiale, je crois. Il a quitté le lycée il y a quelques jours. En plein milieu du semestre. Pire : au tout début de la saison de basket.

— Où est-il allé ?

— Il est rentré chez lui.

— Et tu ne sais pas pourquoi ?

— Tout ce que je sais, c'est que ça a été soudain. Mais si Jared manque le basket, ça doit forcément être grave.

24

J'ai promis à Tristan de le tenir au courant si j'apprenais quelque chose.

Comme nous n'avions plus rien à faire ici, Ema et moi avons pris le bus suivant pour rentrer. Sitôt arrivé, j'ai foncé au lycée pour l'entraînement, et j'ai tout oublié dans la sueur, l'effort et la beauté du jeu. Parfois, je me demandais ce que serait ma vie si je n'avais pas le terrain pour me servir d'exutoire.

En sortant, j'ai été surpris de voir une voiture familière qui m'attendait. Myron a baissé sa vitre.

— Il y a un problème ? ai-je demandé.

— Tu voulais voir ta mère, n'est-ce pas ?

— Oui.

— Alors, monte.

Il n'avait pas besoin de me le dire deux fois. Contournant la voiture, j'ai pris place sur le siège passager.

— Comment as-tu eu l'autorisation ?

— Tu m'as dit que c'était important.

— Ça l'est !

— C'est ce que j'ai expliqué à Christine.

Christine Shippee était la directrice du centre

Coddington, où ma mère était soignée pour son addiction. C'était elle qui lui avait interdit toute visite, même celle de son fils unique, pendant encore au moins deux semaines.

— Et elle a accepté ?

— Non.

— Alors, comment… ?

— Ta mère n'est pas en prison, Mickey. Elle suit une cure de désintoxication. J'ai dit à Christine que nous la sortirions du programme si on ne te laissait pas la voir.

Ouah, rien que ça !

— Qu'est-ce qu'elle a répondu ?

J'ai vu Myron serrer les mains sur le volant.

— Que nous allions devoir lui trouver un nouvel établissement.

— Pardon ?

— Tu as dit que c'était important.

— Bien sûr.

— Alors, tu dois bien mesurer les enjeux : si nous rompons leur protocole, c'est-à-dire si tu vois ta mère, elle devra quitter le centre Coddington.

Je me suis tassé sur mon siège.

— Alors ? m'a-t-il demandé.

— Alors, quoi ?

— Que veux-tu faire, Mickey ? On va voir ta mère tout de suite ? Ou on la laisse poursuivre son traitement et recevoir les soins dont elle a besoin ?

Forcément, ça donnait à réfléchir. Myron a pris une rue à droite. Un peu plus loin, à moins d'un kilomètre, se trouvait le centre de désintoxication Coddington.

— Que veux-tu faire ? m'a-t-il redemandé.

— Je veux voir ma mère.

— Même si ça signifie qu'elle sera exclue du programme ?

Carré dans mon siège, bras croisés, j'ai déclaré avec une assurance feinte :

— Même dans ce cas, oui.

25

— Je ne te comprends pas, a dit Christine Shippee.

— Il faut absolument que je lui parle. Je n'en ai pas pour longtemps.

— Elle est en phase de sevrage. Tu sais ce que ça signifie ?

— Oui.

— Elle souffre énormément. Son corps réclame de la drogue. Tu n'imagines pas à quel point cette phase du processus est éprouvante.

Dans la vie, j'avais appris à compartimenter. Je comprenais parfaitement ce que disait la directrice. Plus que ça, je ressentais physiquement ses mots comme autant de coups de poing dans le ventre. Mais j'étais parvenu à une horrible prise de conscience. Ma mère n'en était pas à son premier séjour en désintox ; Kitty Bolitar avait déjà enduré la douleur du sevrage quelque temps plus tôt. Après avoir persuadé tout le monde qu'elle allait bien, elle était sortie du centre, m'avait souri, emmené au lycée en promettant de me préparer mon plat préféré le soir même, avec le pain à l'ail que j'adorais, et pendant que j'étais en cours, elle s'était rendue dans un motel sordide où elle s'était réinjecté du poison dans les veines.

C'était la raison pour laquelle nous étions de nouveau ici.

— Ça n'a pas marché la dernière fois.

— Ce qui n'a rien d'inhabituel, et tu le sais, m'a répondu Christine Shippee.

— C'est vrai.

— Mickey, nous faisons ce qu'il y a de mieux pour elle. Mais je suis sérieuse. Si tu insistes pour la voir ce soir, tu rompras notre protocole. Nous ne pourrons pas la garder ici.

— Je suis désolé de l'apprendre.

Christine Shippee en a appelé à Myron.

— Il est mineur. C'est à vous de prendre la décision, pas à lui.

Mon oncle s'est tourné vers moi. J'ai soutenu son regard.

— Tu es sûr de toi ? m'a-t-il demandé.

Je l'étais.

Christine Shippee a secoué la tête.

— Tu sais où est sa chambre, a-t-elle dit d'un ton trahissant sa fatigue et son exaspération. Myron, vous pouvez rester avec moi et signer les papiers de sortie.

Elle a appuyé sur un bouton, et j'ai entendu le timbre familier de la porte qui se déverrouillait, donnant accès à l'étroit couloir.

Dans sa chambre, ma mère dormait, poignets et chevilles attachés. D'une certaine manière, j'étais presque chanceux de la trouver dans un moment paisible, profondément endormie, protégée de la souffrance.

Pendant quelques instants, je suis resté dans l'embrasure de la porte à la regarder. En me mettant au monde, elle avait renoncé à sa carrière de joueuse de tennis – et à la gloire, la fortune et la passion qui allaient avec. Elle m'avait aimé et s'était occupée de moi pendant toute ma vie jusqu'à... jusqu'à ce qu'elle n'en ait plus la force. J'ai entendu dire que l'esprit humain est invincible, quand on désire intensément quelque chose, il est capable de déployer des trésors de détermination pour l'obtenir.

C'étaient des conneries.

Ma mère n'était pas une personne faible, et elle m'avait aimé de tout son cœur. Mais il arrive qu'un être humain casse, tout comme le foutu frigo de la femme chauve-souris. Et quand il casse, il est parfois impossible de le réparer.

— Mickey ?

Kitty Bolitar m'a souri, et tout son visage s'est illuminé. Elle était redevenue ma mère. Et moi, redevenu un petit garçon, je me suis précipité vers son lit, je suis tombé à genoux, j'ai niché la tête contre son épaule, et, à mon tour, j'ai craqué. Je me suis mis à sangloter. Pendant un long moment. Je l'entendais murmurer des « chuut », « chuut » apaisants, comme elle l'avait fait des centaines de fois pour me réconforter. J'attendais qu'elle pose la main sur ma tête, mais les entraves à ses poignets l'en empêchaient.

— Tout va bien, Mickey. Chut, ça va aller.

Mais je n'y croyais pas. Pire : je ne la croyais pas.

Petit à petit, j'ai réussi à reprendre contenance pour pouvoir lui parler.

— Je dois te demander quelque chose.

— Quoi, mon chéri ?

J'ai levé la tête. Je voulais la regarder dans les yeux en posant la question, pour voir sa réaction.

— C'est à propos de papa.

À la seule mention de mon père, elle a tressailli.

Mes parents s'aimaient. OK, c'est le cas de beaucoup de parents. Mais les miens s'aimaient à la folie. D'un amour passionnel, fusionnel, parfois même embarrassant. Le problème, quand deux êtres s'aiment au point de ne faire plus qu'un, c'est ce qui arrive à la mort de l'un d'eux.

Par définition, l'autre doit mourir aussi.

— Eh bien ? a-t-elle demandé.

— Pourquoi l'as-tu fait incinérer ?

— Comment ?

Elle semblait plus perplexe que choquée.

— J'ai vu le document que tu as signé. Je ne sais pas pourquoi…

— Qu'est-ce que tu racontes ? Il n'a pas été incinéré.

— Si. Et c'est toi qui as donné l'autorisation. J'ai vu le formulaire signé de ta main.

Ses yeux flamboyaient. Jamais je ne les avais vus aussi limpides.

— Mickey, écoute-moi. Nous avons enterré ton père à Los Angeles. Tu étais là. J'étais là. Je ne l'ai jamais fait incinérer. Qu'est-ce qui te fait penser une chose pareille ?

Je la croyais. Elle n'était pas défoncée, ce jour-là, je le voyais sur son visage. Et je voyais aussi autre chose.

Nous avions tous fait semblant.

Ma mère n'allait jamais guérir. Elle était brisée. Christine Shippee réussirait peut-être à la réparer pendant un moment, mais ma mère finirait par replonger tôt ou tard. Il n'y avait qu'un seul espoir pour elle, je le savais. Quand mon père était mort, elle était morte avec lui. C'était la raison pour laquelle j'étais prêt à mettre en péril son traitement. La raison pour laquelle je me moquais du risque de renvoi. Une cure de désin-toxication ne servirait à rien. Sans mon père, ce serait comme mettre un pansement sur une jambe de bois.

J'avais perdu ma mère pour toujours. Sauf si…

— Maman ?

— Oui.

J'ai affermi ma voix.

— Il faut que tu guérisses.

— Oh, je vais guérir, a-t-elle dit, mais ça sonnait faux.

— Non, pas comme ça. Pas comme la dernière fois. Les choses ont changé.

— Je ne comprends pas, Mickey.

— Il faut que tu t'en sortes, maman, ai-je dit en me levant. Parce que la prochaine fois que je viendrai, je te ramènerai papa.

26

Je suis ressorti en vitesse.

— Attends ! Où vas-tu ? m'a interpellé Christine Shippee.

— Non !

— Pardon ?

Je me suis retourné vers elle.

— Elle reste là. Je l'ai vue à peine quelques minutes. S'il vous plaît.

La directrice a reporté son regard sur Myron, qui a haussé les épaules.

— S'il vous plaît, ai-je répété. Faites-moi confiance.

Elle a fini par céder.

— OK, Mickey, mais ne refais plus jamais ça.

— Ne vous inquiétez pas. Quand je reviendrai, tout sera différent.

J'étais au lycée le lendemain, en route vers le gymnase, quand j'ai reçu un message de Rachel : **Suis avec mon père à Philadelphie.**

J'ai pianoté en réponse : **Sympa.**

Lui ai dit que je savais pour ma mère.

J'ai fait la grimace en regardant l'écran. **Comment ça s'est passé ?**

Sa réponse a mis un moment à arriver.

Pas bien. Pour l'instant. Mais au moins il n'y a plus de mensonge entre nous.

J'ai souri : **Tant mieux.**

Je rentre ce soir tard. On peut se voir demain pour que tu me mettes au courant ?

OK.

Super. Chez moi, tôt. À demain. Biz.

Je suis resté là à contempler l'écran jusqu'à ce que la voix d'Ema me ramène à la réalité.

— Qu'est-ce qui te fait sourire ?

J'ai relevé les yeux trop vite.

— Rien.

— OK, si tu le prends comme ça.

— Ce n'était rien, je t'assure. Quelqu'un m'a envoyé une blague, c'est tout.

— Un de tes nouveaux potes de vestiaires ? Je suis sûre que c'était hyper drôle.

— Quoi de neuf ?

— Devine qui nous a trouvé un lecteur Betamax ?

— Toi ?

— Non, Spoon. Si tu peux te passer d'une soirée avec tes nouveaux amis, on pourrait aller à l'hôpital ce soir et regarder la cassette ensemble.

— Ça marche.

— Super.

Dans les vestiaires, plusieurs de mes coéquipiers étaient déjà en train de se changer en se lançant des vannes. Je me suis joint à eux, et ça m'a fait plaisir – et tant pis pour Ema et ses sarcasmes. J'avais bien le droit de m'amuser un peu, non ? Quand j'ai repéré

Brandon, qui laçait ses baskets dans un coin, il a hoché la tête vers moi comme pour demander : « Alors ? »

Je me suis approché de lui.

— J'ai une question à te poser.

— Je t'écoute.

— C'est à propos de Buck.

— Et ?

— D'après ce que j'ai compris, ses parents sont divorcés.

— Oui. Je crois qu'ils se sont séparés il y a plusieurs années.

— Est-ce que ça a été dur pour lui ?

Brandon m'a lancé un regard perplexe.

— Qu'est-ce que ça peut te faire ?

— Je trouve seulement tout ça un peu trop facile.

— Quoi donc ?

— Buck a toujours vécu dans cette ville, non ?

— Oui.

— Et soudain, alors que l'année scolaire est déjà commencée, il doit quitter son lycée et ses copains pour aller vivre avec sa mère ?

Brandon a haussé les épaules.

— Je ne suis pas juriste, mais ils sont en garde partagée ou quelque chose comme ça.

— C'était quand, la dernière fois que tu lui as parlé ?

— Je ne sais plus. Quelques jours avant son départ.

— Et tu n'as pas eu de nouvelles depuis ?

— Non.

— Vous n'avez pas échangé de SMS, ou d'e-mail ni rien ?

— Un SMS, je crois. Et peut-être un mail.

— Vous ne vous êtes même pas dit au revoir ?

Brandon avait l'air de commencer à comprendre.

— Non.

— Et tu ne trouves pas ça bizarre ? Vous êtes tous amis depuis l'enfance, et il déménage sans dire au revoir à personne.

Brandon a levé les yeux vers moi.

— Où veux-tu en venir, Mickey ?

— Au timing.

Et comme il ne disait rien, j'ai repris :

— Écoute, j'ai très peu connu Buck. Et je l'ai toujours vu se comporter comme un salaud. Je ne sais rien de plus le concernant. Mais je voudrais te montrer quelque chose.

— Quoi ?

J'ai longé la rangée de casiers pour retourner dans le hall, où se trouvait la vitrine dans laquelle étaient exhibés les trophées sportifs du lycée. Tous les établissements scolaires en ont une. Une fois devant, j'ai montré à Brandon la photo de l'équipe de l'année précédente, fixée à la plaque commémorant sa victoire en championnat du comté.

— Eh bien ? m'a-t-il demandé.

— Tu ne remarques rien ?

Je pointais le doigt sur Buck.

— Non. Quoi ?

— C'est peut-être parce que tu le voyais tous les jours. Regarde-le bien.

Il s'est penché pour examiner le cliché de plus près.

— Qu'est-ce que je suis censé voir ?

— Cette photo a été prise il y a un an. Et il ne ressemble pas au Buck que je connais. Il a bien quinze kilos de moins.

Brandon était toujours courbé en deux devant la photo.

— Et alors ? Beaucoup de garçons grandissent encore entre la première et la terminale.

— Et grossissent autant que ça ?

— Bien sûr, a-t-il affirmé, même si j'ai perçu un léger doute dans sa voix. Quoique, maintenant que j'y pense… Buck a fait une super saison de base-ball. Son nouveau gabarit a fait exploser sa moyenne de puissance…

Comme s'il revenait soudain à lui, Brandon m'a lancé un regard perçant.

— Qu'est-ce qu'il y a ?

— Tu étais censé aider Troy.

— C'est ce que je fais.

— J'ai plutôt l'impression que tu essaies d'enfoncer Buck.

— Je n'enfonce personne. J'essaie de découvrir la vérité. Supposons qu'il y ait un lien entre ce qui est arrivé à Buck et ce qui est arrivé à Troy.

— Comme quoi ?

— Je ne sais pas encore. Mais supposons que le contrôle antidopage de Buck ait lui aussi été positif. Est-ce que ça ne pourrait pas expliquer qu'il ait brusquement changé de lycée et qu'il ait coupé les ponts avec tout le monde ?

Brandon a détourné les yeux, pensif.

— Ça a toujours été dur pour Buck, a-t-il concédé.

— Comment ça ?

— Il avait une telle pression, en tant que frère de Randy. Ce n'était pas seulement une ombre à laquelle il ne pouvait pas échapper. C'était une ombre qui l'étouffait. Je sais que tu le détestes, et je ne peux pas dire que tu n'aies pas tes raisons. Mais, s'il se comportait comme une brute, c'est parce qu'il avait toujours le sentiment de passer en second.

J'ai levé un sourcil moqueur.

— Ses parents ne lui ont pas fait assez de câlins ?

— Eh, c'est toi qui as parlé de ça. Mais réfléchis. Ces dernières années, Buck a dû vivre avec un frère superstar. La pression devait être énorme.

J'ai senti la colère monter.

— Non, pas forcément.

— Pourquoi tu dis ça ?

— C'est une excuse. (J'essayais de respirer calmement, mais Brandon a fait un pas en arrière.) Mon père aussi a dû vivre avec un frère superstar.

Brandon a contemplé ses pieds.

— Quoi ?

— Je ne veux pas être méchant, Mickey, mais… comment il s'en est sorti ?

Ses mots m'ont atteint comme un direct du droit.

— C'est un coup bas, Brandon.

— Désolé, ce n'était pas mon intention.

— Et mon père n'est pas devenu une brute qui traitait les filles de vaches ou menaçait de tabasser le petit nouveau.

— Non, c'est vrai.

— J'entends un « mais ».

— Laisse tomber.

— Mon père aidait les gens dans le besoin. Il a fait un boulot génial.

— Et sa relation avec son frère superstar ?

J'avais du mal à croire qu'il continuait sur ce terrain.

— Quand son frère et lui se sont brouillés, Myron n'était déjà plus une star. Il s'était déjà bousillé le genou, et sa carrière était terminée.

— Tu as raison.

Mais j'ai senti dans sa voix qu'il voulait seulement qu'on passe à autre chose.

— Oublie ça. Je n'essaie pas de trouver des excuses à Buck, mais regardons la réalité en face. Il subissait une grosse pression pour réussir, pour être à la hauteur de ce qu'on attendait du frère de Randy. Si on ajoute à ça tous les problèmes chez lui, le divorce de ses parents…

— Et son énorme prise de poids, ai-je glissé.

— Je ne saisis pas, Mickey. Qu'est-ce que tu essaies de me dire ?

— Je ne sais pas. Je me demande seulement si c'est lié. Buck quitte brusquement la ville. Troy est contrôlé positif aux stéroïdes.

— Je ne vois pas le rapport.

— Moi non plus.

Puis j'ai ajouté :

— Pour l'instant.

27

Quand je suis entré dans la chambre de Spoon, Ema était déjà là. Grimpé sur un escabeau, M. Spindel manipulait des fils électriques derrière la télé.

— Bientôt fini, papa ? a demandé Spoon.

— Je ne vois pas pourquoi vous avez besoin de ça ici.

— Je te l'ai dit. Rachel a une vieille cassette des *Schtroumpfs* sur Betamax. On avait tous envie de la regarder.

M. Spindel est redescendu de l'escabeau en secouant la tête.

— Jamais entendu de mensonge plus ridicule.

— À moins que ce ne soit un film interdit aux moins de dix-huit ans ?

— C'est déjà plus crédible, a commenté M. Spindel qui finissait les branchements. Voilà, je vous laisse.

Et il a quitté la pièce son escabeau sous le bras.

— Où as-tu déniché ça ? ai-je demandé à Spoon en montrant le vieil appareil.

— Chez moi.

— Vous en aviez encore un ?

— Bien sûr. Le Betamax a perdu presque toutes ses

parts de marché au profit du système VHS dès 1988, mais Sony a continué à en fabriquer jusqu'en 2002.

— Ah bon ! ai-je commenté.

Ema a introduit la cassette dans le lecteur et appuyé sur « play ». Puis elle est allée s'asseoir au bout du lit à gauche, pendant que je prenais le côté droit, Il y avait juste assez d'espace entre nous pour que Spoon puisse voir la télé, fixée en haut du mur, face à nous.

L'écran s'est couvert de parasites gris et blancs. Dix secondes plus tard, une image est apparue.

— Où est-ce ? a demandé Spoon.

Ema et moi avons échangé un regard.

— Dans le tunnel.

— Sous la maison de la femme chauve-souris ?

— Oui. Et même tout près de l'endroit où nous avons trouvé cette cassette.

— C'est cool, a dit Spoon.

La caméra était pointée droit vers le tunnel en direction du garage. Pendant dix secondes, il ne s'est rien passé. Puis l'image a sauté, et une voix familière a dit :

— Oh, qu'est-ce que je suis maladroite.

Et Lizzy Sobek s'est affichée sur l'écran.

Elle portait sa longue robe blanche, et ses cheveux gris lui arrivaient à la taille. Quand elle s'est retournée vers la caméra, j'ai remarqué qu'elle paraissait plus jeune – elle avait la peau moins ridée –, même si je n'aurais su dire de combien.

— Ça marche, Dylan ? a-t-elle demandé.

— Dylan Shaykes, ai-je expliqué. C'est le nom du chauve.

— Celui qui te suit dans la voiture noire ?

— Lui-même.

— Pourquoi son nom me rappelle quelque chose ? a demandé Spoon.

— À cause des vieilles bouteilles de lait. Il a disparu il y a vingt-cinq ans. Il y a eu pas mal de reportages sur lui, récemment.

— Et maintenant, il…

— Il travaille pour le refuge Abeona.

— Comme nous.

— Chut ! a dit Ema.

Sur l'écran, Lizzy Sobek a tourné le dos à la caméra, écarté les bras et dit :

— Bienvenue !

Nous avons entendu des voix distantes, mais nous ne voyions rien.

Derrière la caméra, Dylan Shaykes a râlé :

— Vous bloquez l'objectif.

— Oh, pardon, lui a répondu Lizzy Sobek en faisant un pas de côté.

J'ai plissé les yeux vers la télé. Quatre enfants – peut-être même cinq ou six, c'était difficile à dire avec la distance – sont apparus au bout du tunnel et se sont avancés d'un pas hésitant.

— Vous êtes en sécurité, maintenant, leur a dit Lizzy Sobek.

L'un des gamins est sorti du groupe, affichant une expression de défi. Il a posé les poings sur ses hanches, un peu à la manière de Superman.

— Vous êtes qui ? Et qu'est-ce qu'on fait ici ?

J'ai entendu Ema retenir son souffle.

— Mickey ?

Incapable de parler, je n'ai réussi qu'à hocher la tête.

Le garçon semblait âgé d'une douzaine d'années. Il s'est approché de la caméra – suffisamment près pour qu'on voie ses cheveux blond vénitien. La qualité de l'image ne permettait pas de distinguer la couleur de ses yeux, mais c'était inutile. Les traits du visage étaient les mêmes. Bien qu'il ait aujourd'hui quinze ou vingt ans de plus, je n'avais aucun doute sur son identité.

C'était Luther. Mon Boucher.

— Nous vous expliquerons tout en temps voulu, a dit Lizzy Sobek.

Mais le gamin ne s'en laissait pas conter.

— Je veux savoir tout de suite.

Les autres enfants se sont avancés. L'un d'eux, qui devait avoir cinq ans de moins que Luther, semblait perdu et effrayé. Luther a passé un bras autour de lui d'un geste protecteur.

— Tout va bien, a dit Lizzy d'une voix douce. Plus personne ne pourra vous faire du mal.

Un autre, dans le coin droit, s'est mis à pleurer. Lizzy s'est approchée de lui, les bras ouverts. Il s'y est précipité. Elle lui a caressé les cheveux, puis a accueilli le quatrième enfant dans son étreinte.

— Qu'est-ce que… ? a commencé Ema.

— C'est un sauvetage, a répondu Spoon.

— Chuut !

Tout en continuant de réconforter les deux enfants, Lizzy s'est tournée vers Luther et l'autre garçon. Luther a secoué la tête et resserré le bras autour de son petit compagnon.

— Tout va bien, a-t-elle répété.

Une larme a coulé sur la joue de Luther.

— Vous êtes en sécurité ici. Personne ne vous fera de mal.

Derrière la caméra, on a entendu Dylan déclarer :

— Oh, oh, je crois qu'on a de la compagnie.

Lorsque Lizzy Sobek s'est tournée vers lui, j'ai cru déceler de la peur sur son visage.

— Emmène-les dans la chambre forte. Vite.

Se retournant, elle a prononcé un mot qui a fait exploser tout mon monde, encore une fois.

— Brad ?

Puis j'ai entendu la voix, si familière et en même temps différente.

— Je suis là.

Mon père adolescent est apparu.

— Oh, mon Dieu ! a dit Ema. C'est...

Le visage inondé de larmes, j'ai hoché la tête.

— Va leur donner à manger et les installer, a dit Lizzy au jeune homme qui allait un jour devenir mon père.

— Oui, madame.

Le visage fermé, Lizzy Sobek s'est avancée vers la caméra, l'a dépassée et a disparu. L'espace d'une seconde encore, ils sont tous restés là, parfaitement immobiles – les deux enfants qu'elle avait réconfortés, Luther, le bras passé autour des épaules du gamin terrifié, et mon père. Puis on a entendu un bruit sec, et l'écran est devenu noir.

28

Pendant quelques instants, aucun de nous n'a bougé. Nous sommes restés là à contempler l'écran noir.

— J'ai plus d'informations à exploiter, maintenant, a fini par dire Spoon. Luther a disparu avec trois autres garçons il y a environ vingt ans. J'en trouverai forcément trace sur le Web.

J'ai vaguement hoché la tête, hébété. Depuis que nous avions regardé cette cassette, j'arrivais à peine à parler ou même à penser.

— Mickey ?

— Hum ?

— On découvrira ce qui est arrivé à ton père, OK ? Je te le promets.

Regardez qui faisait les promesses, maintenant !

Ema m'a pris la main.

— Ça va ?

Nouveau hochement de tête hébété. Puis j'ai dit :

— C'est juste que...

Je me suis arrêté, mais en voyant le regard inquiet de Spoon posé sur moi et la main d'Ema tenant la mienne, les vannes ont lâché.

— Après la mort de mon père, je n'ai pas regardé

une seule photo de lui. Vous comprenez ? Ça faisait trop mal. Je ne sais pas. C'était au-dessus de mes forces.

— On comprend, a dit Ema.

— Et là, non seulement je le vois, mais je le vois sur une vidéo tournée avant ma naissance. C'est… c'est…

Plus un mot n'est sorti.

— On comprend parfaitement, a dit Spoon.

— Absolument, a renchéri Ema.

Elle me tenait toujours la main, et son contact me faisait du bien.

— Une distraction serait peut-être bienvenue, a suggéré Spoon.

Il a ouvert son ordinateur portable et s'est mis à pianoter sur le clavier.

— Comme vous vous en souvenez, Jared Lowell vit à Adiona, une île au large de la côte du Massachusetts. Pour y aller, il faut prendre deux bus puis le ferry. Puisque demain il n'y a ni cours ni entraînement de basket, j'ai pris la liberté de vous acheter des tickets. Vous devrez encore vous lever tôt demain matin.

— Attends, je ne peux pas, demain, a dit Ema. J'ai promis à ma mère d'assister à son émission à New York.

— C'est peut-être aussi bien, ai-je dit.

— Pourquoi ?

— Je peux trouver Jared et lui parler tout seul. Il sera peut-être plus coopératif.

— Tu plaisantes ?

— Non, il a raison, est intervenu Spoon. Il vaut peut-être mieux que tu n'y ailles pas.

— Donc, Mickey y va seul ?

Je me suis souvenu de mon échange de SMS avec Rachel.

— Non, j'aurai des renforts.

29

Je reconnais que parcourir tout ce chemin jusqu'à cette île paraissait un peu extrême.

Perdre une demi-journée pour aller au lycée Farnsworth, comme nous l'avions fait Ema et moi, d'accord, ça se justifiait. Mais nous nous trouvions maintenant à bord d'un ferry, en train de regarder l'île grossir à mesure que nous approchions, espérant sans trop y croire y dénicher Jared et dissiper le mystère.

J'ai secoué la tête en y pensant.

— Qu'est-ce qu'il y a ? m'a demandé Rachel.

Le vent lui ramenait les cheveux en travers du visage. J'avais envie de tendre la main pour les passer derrière ses oreilles, mais, bien sûr, je n'ai rien fait.

— Quelles sont les chances qu'il soit là ?

— Jared ? Il vit là, non ?

— Oui.

— Et le type que tu as rencontré dans ce lycée t'a bien dit qu'il était rentré chez lui ?

— Oui.

— Donc, je pense que les chances sont plutôt bonnes. Tu n'es pas d'accord ?

— Tu crois qu'il va nous suffire de sonner à sa

porte et qu'il va nous ouvrir ? ai-je dit, dubitatif. Avec nous, ce n'est jamais aussi simple.

Rachel a souri.

— C'est vrai.

Pourtant, c'est exactement ce qui s'est passé.

Le ferry transportait deux catégories de gens. Les passagers sur le pont supérieur paraissaient en route pour assister à un match de cricket ou un spectacle équestre. Les hommes portaient des vestes en tweed ou un pull noué autour des épaules, tandis que les femmes arboraient des jupettes de tennis ou des robes d'été roses ou vertes. Lorsqu'ils parlaient, leurs mâchoires saillaient vers l'avant, et ils utilisaient des mots tels que « villégiature ». Il y avait même un homme qui portait un ascot. Il a appelé sa femme « gracieuse ». J'ai cru que c'était une description de sa personnalité, mais en l'écoutant plus attentivement, je me suis rendu compte que c'était son prénom. Gracieuse, avec un G majuscule.

La deuxième catégorie de gens, massés sur le pont inférieur, devait être des domestiques et des journaliers. J'avais vu ces mêmes visages à l'expression lasse et ces mêmes épaules tombantes dans le bus quittant Kasselton pour aller à Newark. Je ne savais pas grand-chose de l'île d'Adiona, mais, à en juger par les passagers du ferry, ce devait être le terrain de jeu de la grande bourgeoisie et de la jet-set.

Lorsque nous avons débarqué, Rachel avait déjà ouvert l'appli GPS de son portable.

— Les Lowell habitent rue Discepolo, a-t-elle annoncé. C'est à moins d'un kilomètre et demi. Je pense qu'on devrait y aller à pied.

De toute façon, on n'allait pas avoir le choix,

puisqu'il n'y avait ni taxis ni arrêt de bus aux abords du quai. Pas même de restaurant, d'épicerie ou de distributeur automatique de nourriture. Des files de voitures attendaient les passagers : ceux du pont inférieur grimpaient à l'arrière de pick-up, tandis que les autres montaient dans des roadsters, des voitures de collection et autres véhicules de luxe.

De belles maisons s'alignaient le long de la côte. Grandes, bien sûr, mais pas gigantesques ni modernes, elles évoquaient plus des villas patriciennes que des palaces de nouveaux riches. Après avoir marché environ cinq cents mètres sur la route, nous sommes passés devant un club de tennis, le genre de club très sélect dont tous les membres sont vêtus de blanc, comme s'ils se croyaient à Wimbledon.

Vu que personne ne marchait, nous nous sommes attiré quelques regards de travers. Rachel, bien sûr, avait droit à des coups d'œil appréciateurs, mais elle y était habituée.

— Comment ça s'est passé avec ton père ? lui ai-je demandé.

— Ça ira.

— Tu m'en veux ?

— Pour m'avoir révélé la vérité à propos de ma mère ?

J'ai acquiescé.

— Non. J'ai compris. Mais mon père pense que c'était une erreur et que je vais culpabiliser pour le restant de mes jours.

— Tu crois qu'il a raison ?

— Pour l'instant, je me sens coupable, mais qui sait ce que je ressentirai demain ? Et puis, ton oncle avait raison : je préfère vivre avec la culpabilité que dans le mensonge.

Elle a pointé un doigt vers le haut de la colline.

— Là, on tourne à gauche.

Nous avons alors pénétré dans un environnement complètement différent. Si l'île avait été un ferry, nous nous trouverions à présent sur le pont inférieur. Les arbres luxuriants avaient fait place à des rangées de petites maisons en brique, dont l'uniformité indiquait que nous avions quitté le monde des privilégiés. Même dans les îles réservées aux riches, il fallait du personnel pour réparer l'électricité, la plomberie et le câble, pour tondre les pelouses, donner des leçons de tennis et nettoyer les piscines.

C'était là, dans cette rue disgracieuse et excentrée pour ne pas heurter les regards, que vivaient ce personnel ainsi que les habitants à l'année.

— Tu es sûre que c'est la bonne rue ?

— Certaine.

Elle a montré du doigt l'une des maisons en brique.

— C'est celle-là. La troisième du côté gauche.

— Jared va dans un lycée hors de prix. Ça va bien avec cette île…

— … mais pas avec cette maison.

— Il joue au basket et il a un excellent niveau, si j'ai bien compris.

— Il serait boursier ?

— Possible.

Nous avons remonté l'allée de béton craquelé jusqu'à la porte.

— Et maintenant, on fait quoi ?

— On frappe, a répondu Rachel.

Nous avons donc toqué à la porte, et Jared Lowell nous a ouvert.

Il était grand et aussi beau que sur les photos.

Vêtu d'un jean, d'une chemise en flanelle et de boots, il m'a regardé avant de poser les yeux sur Rachel, où ils se sont attardés. Quelle surprise...

Un sourire est apparu sur son visage.

— Je peux vous aider ?

— Tu es Jared Lowell ? lui a-t-elle demandé.

— Oui. Et vous, qui êtes-vous ?

— Voici Mickey Bolitar.

Il m'a adressé un hochement de tête bref, mais poli.

— Et je suis Rachel Caldwell.

Nos noms ne lui disaient rien, bien sûr. À l'intérieur de la maison, une voix de femme s'est écriée :

— Jared ? Qui est là ?

— Je réponds, maman.

— Je ne t'ai pas demandé si tu répondais, je t'ai demandé qui c'était.

Jared nous a regardés, semblant attendre de nous la réponse.

— Nous sommes là de la part d'Ema Beaumont.

Je ne savais pas trop à quoi m'attendre. La conclusion la plus probable à tout ça demeurait la plus évidente : Ema s'était fait piéger. Ce type, Jared, n'avait aucune idée de qui elle était et de ce dont on lui parlait. Du moins cette visite le confirmerait-elle, et nous pourrions mettre les voiles.

D'un autre côté, notre mission s'était achevée à l'instant où Jared avait ouvert cette porte. Il n'avait pas disparu. Nous l'avions trouvé. Il allait bien. Le reste – qu'il soit ou non le gars avec qui Ema avait échangé en ligne – n'avait aucune importance.

Je pensais donc qu'il allait répondre « Qui ? » ou « Je ne connais pas d'Ema Beaumont », ou ce genre de choses. Mais ce n'est pas ce qui s'est passé. À la mention du nom d'Ema, son visage s'est décomposé.

— Jared ?

C'était encore sa mère.

— Ce sont des copains, a-t-il crié en réponse. Tout va bien.

Il est sorti en refermant la porte derrière lui et a descendu l'allée à grands pas. Rachel et moi l'avons suivi.

— Qu'est-ce que vous faites là ? nous a-t-il demandé.

— Nous sommes des amis d'Ema.

— Et ?

— Tu sais qui c'est, n'est-ce pas ?

Il n'a pas répondu.

— Jared ?

— Oui, je sais qui c'est. Et alors ?

Il a lancé un regard vers la porte de sa maison, comme s'il attendait qu'elle s'ouvre, puis il s'est encore éloigné. Nous lui avons emboîté le pas. Arrivé au coin de la rue, il s'est arrêté brusquement.

— Qu'est-ce que vous voulez ? m'a-t-il lancé. Je vais devoir aller bosser au club.

Maintenant qu'il était face à moi et prêt à m'écouter, je ne savais plus trop comment formuler les choses.

— Tu... euh... as eu une histoire avec elle.

— Avec Ema ?

— Oui.

— On a communiqué en ligne.

— Communiqué, c'est tout ?

Jared a jeté un coup d'œil à Rachel, avant de revenir à moi.

— En quoi ça te regarde ?

Bonne question.

C'est Rachel qui a répondu :

— Elle se fait du souci pour toi.

— Qui ?

— À ton avis ? ai-je répliqué. Ema, bien sûr.

— Qu'est-ce que ça peut vous faire, à tous les deux ?

— Donc, vous « communiquiez » en ligne, ai-je dit en esquissant des guillemets avec mes doigts. C'est bien ça ?

— Et alors ?

— Alors, tu as brusquement arrêté. Pourquoi ?

Il a secoué la tête.

— C'est quoi, ton nom, déjà ? Peu importe. Ça ne te concerne en rien.

Lorsqu'il s'est tourné vers Rachel, ses traits se sont radoucis.

— Désolé, Rachel, mais je ne pense pas que ça te concerne non plus.

— Son nom à elle, tu ne l'as pas oublié.

— Pardon ?

J'ai avancé d'un pas vers lui.

— On ne fait pas un truc pareil à quelqu'un.

— Quel truc ?

— On ne coupe pas les ponts comme ça. On ne disparaît pas sans prévenir. On ne laisse pas les gens en plan de cette façon. C'est méchant.

— « C'est méchant » ? Ce mec existe vraiment ? a-t-il ajouté en prenant Rachel à témoin.

— Je suis d'accord avec lui, a-t-elle répondu.

Ce qui lui a rabattu son caquet.

— Attendez, je lui ai envoyé un e-mail. Il a peut-être atterri dans ses spams, je ne sais pas.

— Ouais, sûrement, ai-je commenté d'un ton dégoulinant de sarcasme.

Derrière nous, on a entendu la porte d'entrée s'ouvrir, et une femme est apparue sur le seuil.

— Tout va bien, Jared ?

— Ça va, maman ! a-t-il crié.

Puis il s'est retourné vers nous :

— Il faut que j'y aille.

J'ai fait un pas pour me placer devant lui. Je ne lui bloquais pas exactement le passage, mais le mouvement était décidé.

— Attends deux secondes. On est venus de loin, tous les deux.

— Pour quoi faire ?

Rachel et moi avons échangé un regard. Que répondre à ça ? Jared Lowell n'avait pas disparu. Il n'était pas en danger. C'était peut-être un sale type, mais ça ne signifiait pas qu'il avait besoin d'être secouru.

— Pourquoi as-tu arrêté de communiquer avec Ema ? lui ai-je redemandé.

— Je te le répète : ce ne sont pas tes affaires.

Une fois encore, ses yeux ont été attirés par Rachel, et c'est à ce moment-là que j'ai compris.

— Quand as-tu vu une photo d'Ema pour la première fois ?

— Pardon ?

Une petite graine de colère avait germé dans ma poitrine.

— Quand as-tu découvert à quoi ressemblait Ema ?

Il a haussé les épaules.

— Je ne m'en souviens plus.

— Ah bon ? Laisse-moi deviner… à peu près au moment où tu as décidé de ne plus lui parler ?

— Je te l'ai dit, on ne s'est jamais parlé.

— Parlé par e-mail ou par texto ou ce que tu veux. Tu m'as très bien compris. Est-ce que c'est quand tu as vu sa photo ?

Pour la première fois, son regard s'est animé.

— Ouais ? Et alors ?

Il m'a attrapé le bras, m'a écarté de Rachel et a chuchoté :

— Eh, mec, c'est toi qui me le reproches ? Tu as vu la fille avec qui tu sors ?

J'étais en train de serrer les poings, quand je me suis rappelé sa mère qui nous observait.

— Jared ? a-t-elle appelé.

— J'arrive, maman.

Il s'est penché plus près et a continué à voix basse :

— Bon, OK, j'aurais peut-être dû être plus clair et y mettre les formes. Mais franchement, il ne s'était pas passé grand-chose.

— Pour elle, si.

— Ce n'est pas mon problème.

— Si, Jared, justement.

— Et qu'est-ce que tu vas faire, mon vieux ? Me frapper ? Pour défendre l'honneur d'Ema ?

Ce n'était pas l'envie qui me manquait. Si je ne m'étais pas retenu, je lui aurais collé mon poing dans la figure.

— Tu ne te rends pas compte à quel point Ema est quelqu'un d'extraordinaire.

— Alors, pourquoi tu ne sors pas avec elle ? Je serais ravi de te débarrasser de Rachel.

Celle-ci a posé la main sur mon épaule, sa façon de m'inciter à rester calme.

— Ça ne vaut pas le coup, a-t-elle murmuré.

— Bon, je vais lui envoyer un mail, d'accord ? a repris Jared. Vous avez raison, c'était pas sympa. Mais toi, mon vieux, je te conseille de me lâcher. Parce que je te le répète : ça ne te regarde pas.

30

Quand j'ai appelé Ema, je suis tombé directement sur sa boîte vocale. Je lui ai donc envoyé un SMS : **Trouvé Jared. Il va bien. Appelle pour en savoir +.**

— J'ai merdé, ai-je dit à Rachel.

— Pourquoi ?

— J'étais trop agressif.

— Tu étais furieux.

— C'est juste que… quand je pense à Ema en train d'attendre devant son ordi…

— Tu es mignon.

J'ai secoué la tête.

— Je ne lui ai même pas posé la question évidente.

— C'est-à-dire ?

— Qu'est-ce qu'il fait là ? Pourquoi il n'est pas dans sa pension ?

— Nous ne sommes pas venus pour changer sa vie. Nous étions là pour le retrouver. Mission accomplie.

Elle avait raison, bien sûr. Jared avait disparu, il était réapparu. Point final.

Mais alors, pourquoi avais-je cette désagréable sensation d'inachevé ?

Lorsque nous sommes arrivés à Kasselton, j'ai reçu

un message de Brandon Foley : **Du nouveau sur le contrôle de Troy ?**

Ce qui m'a fait réfléchir à toute cette affaire. Plus j'y pensais, moins je croyais à cette histoire selon laquelle la mère de Buck aurait soudain obtenu sa garde. Certes, j'avais déjà entendu parler d'arrangements saugrenus dans des cas de divorce, mais qui obligerait un ado de 17 ans à déménager brusquement, en plein milieu de son année de terminale ?

C'était peu crédible dans l'absolu, et encore moins dans le contexte présent. Au moment même où Buck déménageait, son meilleur ami et le complice de ses forfaits se faisait prendre lors d'un contrôle antidopage.

Une coïncidence ?

Je n'y croyais pas. Troy clamait son innocence, et la plupart des gars de l'équipe paraissaient lui faire confiance. J'ai commencé à tracer des petites lignes dans ma tête, pour essayer de relier les événements entre eux.

Mes neurones ont failli disjoncter.

Il me fallait davantage d'informations. Après avoir raccompagné Rachel chez elle, j'ai décidé qu'il était temps d'avoir un petit entretien en tête à tête avec Troy.

J'aurais voulu lui envoyer un SMS, mais je n'avais pas son numéro. En plus, j'étais déjà dans son quartier. S'il y avait bien une chose que j'avais apprise, c'était que rien ne remplaçait un face-à-face. Non, je ne vais pas râler contre les smartphones ni me lamenter sur le fait qu'on passe son temps à s'envoyer des messages ou à utiliser les réseaux sociaux. C'est comme ça. Mais quand on a besoin d'une information, quand on veut savoir si une personne ment ou dit la vérité, il n'y a rien de plus efficace que de la regarder dans les yeux et d'observer son langage corporel.

Du moins, c'est ce que je croyais.

Une fois arrivé devant la porte des Taylor, j'ai hésité à frapper. J'étais déjà venu ici, dans des circonstances… particulières. Rachel avait « distrait » Troy (argh !) afin qu'Ema et moi puissions nous introduire en douce dans le bureau du commissaire en passant par la cuisine. Ah, c'était le bon vieux temps ! Cette fois, j'en étais réduit à frapper à la porte, comme n'importe quel visiteur.

Et si c'était Monsieur Taylor Père en personne qui répondait ?

Trop tard pour les « si ». La porte s'est ouverte sur le commissaire, encore en uniforme. Dès qu'il m'a vu, il a plissé les yeux.

— Mickey Bolitar ?

— Bonjour, commissaire ! ai-je dit d'un ton trop jovial.

— Qu'est-ce que tu veux ?

— Euh… Troy est là ?

Après m'avoir contemplé avec hostilité pendant quelques secondes supplémentaires, il s'est écarté pour me laisser entrer.

— Au sous-sol.

— Merci.

Je me suis essuyé les pieds plusieurs centaines de fois sur le paillasson avant de pénétrer dans la maison et de me diriger vers la porte qu'il m'indiquait au fond de l'entrée.

M'engageant dans l'escalier, j'ai appelé :

— Troy ?

Pas de réponse.

233

La pièce en bas était sombre et silencieuse. À mesure que je descendais, j'ai aperçu comme un halo lumineux assez sinistre. Arrivé à la dernière marche, j'ai vu ce que c'était. Du sang et des boyaux giclaient sur le grand écran de télévision. Affalé dans un fauteuil, un casque sur les oreilles, Troy était en plein jeu vidéo. Ses doigts s'agitaient frénétiquement sur la manette.

Il tirait, esquivait, changeait d'arme. Je n'avais jamais partagé cette folie du jeu vidéo, parce que, quand nous vivions à l'étranger, nous n'y avions pas accès. À notre retour aux États-Unis, j'avais essayé de m'y mettre, mais j'avais dû me rendre à l'évidence : je n'étais pas très doué. Comme toute chose, ces jeux demandent de l'entraînement. J'avais commencé trop tard et, peut-être était-ce une faiblesse de ma part, je n'aime pas pratiquer des activités dans lesquelles je ne suis pas bon.

— Troy ?

N'obtenant toujours aucune réponse, je lui ai effleuré l'épaule. Il a fait un bond, les yeux écarquillés, comme prêt à mordre. Lorsqu'il m'a reconnu, il a semblé confus pendant une fraction de seconde, avant d'afficher son sourire de façade.

— Salut, Mickey.

Je ne savais plus quoi penser de ce mec.

— Salut. Je voulais te parler.

Il a retiré son casque et posé la manette.

— Assieds-toi.

J'ai pris place dans le fauteuil à côté du sien, un peu mal à l'aise dans cette pièce obscure, seulement éclairée par le halo de la télé. Sur l'écran, les personnages continuaient de courir, de se tirer dessus, de plonger et de se cacher comme si de rien n'était.

— Qu'est-ce qui se passe ?

— Je voudrais te parler de Buck.

Il a paru étonné.

— Ah ?

— Vous êtes proches, tous les deux, non ?

— C'est mon meilleur ami.

— Tu as été surpris qu'il déménage ?

— Ça m'a fait un choc, tu veux dire. Pourquoi tu me demandes ça ?

— Je trouve ça bizarre, c'est tout.

— Quoi donc ?

— Comme tu étais très proche de Buck, tu ne t'en es peut-être pas rendu compte, mais il a pris pas mal de kilos pendant l'intersaison.

— Il passait son temps à faire de la muscu.

— Ça doit être ça, oui.

Troy a plissé les yeux, comme son père l'avait fait en m'ouvrant la porte.

— Mais tu n'y crois pas ?

— Je me pose des questions, c'est tout. Il présentait tous les signes de l'usage de stéroïdes. Prise de poids. Agressivité gratuite. J'ai entendu dire qu'il avait fait une très bonne saison de base-ball.

— Une super saison. Il a énormément progressé.

— Trop, tu crois ?

Troy a paru troublé.

— Tu penses que Buck a pris des stéroïdes ? m'a-t-il demandé.

— Oui.

— Mais quel rapport avec moi ?

— Je ne sais pas. Peut-être aucun.

Il a détourné les yeux.

— Qu'est-ce qu'il y a ?

235

— Rien.

— Troy, c'est toi qui m'as demandé de t'aider.

— Je sais. Mais je ne veux pas que ce soit au détriment d'un ami.

— Ce n'est pas le cas.

— Ah bon ?

— Non. J'essaie de découvrir la vérité, c'est tout. Alors, dis-moi ce qui te perturbe.

Troy a pris une profonde inspiration, avant de lâcher :

— Il se sentait menacé par toi.

— Par moi ? Pourquoi ?

— Écoute, on s'est mal comportés avec toi, je te l'ai dit. (Il a repris la manette et s'est mis à la tripoter.) Et si on t'a mené la vie dure, c'est qu'on savait à quel point tu étais bon en basket.

Je n'ai rien dit.

— Tous les cinq, on forme une équipe soudée depuis toujours. Mais l'un de nous allait perdre sa place à cause de toi. Pas Brandon, le pivot, ni moi, le meneur de jeu...

Il n'a pas eu besoin d'aller au bout de son raisonnement.

— Buck, ai-je terminé à sa place.

Troy a fait « oui » de la tête.

— Réfléchis à ça. Tu connais les prouesses de son grand frère et la pression que ça lui mettait ?

— Oui, je suis au courant.

— Ensuite, tu es venu t'ajouter dans l'équation. Ça le rendait dingue. Perdre sa place de titulaire en dernière année...

Je voyais où Troy voulait en venir.

— Donc, tu penses aussi qu'il a pris des stéroïdes.

— Ce n'est pas ce que j'ai dit. C'est mon ami. Mais à un moment, Brandon et moi avons voulu te ficher la paix. On savait que tu pouvais nous aider à gagner, et c'est tout ce qui m'intéressait. (Il s'est penché vers moi.) Moi, j'aurais gardé ma place de titulaire. C'est Buck qui se serait retrouvé sur la touche.

On est restés silencieux, dans la pénombre, tandis que les personnages se déchaînaient sur l'écran de télé.

— Il ne m'a pas rappelé, a dit Troy au bout d'un moment.

— Buck ?

— Oui. Il m'a envoyé quelques SMS, mais il ne veut pas me parler.

— Pourquoi, à ton avis ?

— Je n'en sais rien.

Mon portable a sonné à ce moment-là. C'était Ema. Je me suis éloigné pour prendre l'appel.

— Vous avez trouvé Jared ?

— Oui. Où es-tu ?

— On vient de rentrer.

— J'arrive.

31

J'ai tout raconté à Ema sur notre rencontre avec Jared Lowell sur l'île d'Adiona.

Comme toujours, elle m'a écouté avec une grande attention. Nous étions assis dans la cuisine de l'immense manoir où elle habite. On entendait Niles, le majordome, aller et venir dans la maison, mais il a eu la sagesse de ne pas se montrer. La mère d'Ema, l'actrice dont le fan-club était à l'origine de tout ça, se trouvait encore à New York.

À la fin de mon récit, Ema est restée silencieuse. Elle contemplait ses mains, croisées devant elle sur la table de la cuisine. J'ai voulu tendre la mienne, mais je me suis ravisé en voyant son expression.

— Ema ?

— Il ment.

J'ai attendu qu'elle développe. Sans lever les yeux, elle s'est mise à faire tourner la bague tête de mort sur son index droit. Enfin, elle a repris :

— Il faut que je te montre quelque chose.

Elle a sorti son smartphone et commencé à pianoter dessus.

— Ça ne m'amuse pas de faire ça.

— De faire quoi ?

— De te montrer cet e-mail. C'est le dernier que Jared m'a envoyé.

— Tu n'es pas obligée de...

— Je sais. En plus, c'est un message très personnel, donc j'aurais préféré le garder pour moi. Mais je veux que tu comprennes, d'accord ?

— OK, d'accord.

Avec un gros soupir, elle m'a tendu son portable. L'étui était noir et clouté. Au moins, elle était cohérente, on ne pouvait pas lui retirer ça. Elle avait agrandi le texte, de manière à ce que je ne voie pas l'adresse de l'expéditeur ou le début de l'e-mail, et je n'ai pas cherché à le faire.

J'ai trop hâte de te voir. J'ai hâte que tout ça soit terminé, pour pouvoir te dire tout ce que je ressens et à quel point j'ai changé. C'est grâce à toi que j'ai changé, Ema. J'ai commis plein d'erreurs, et il me reste encore une chose à faire mais, ensuite, tout sera derrière moi, je te le promets. On sera ensemble si tu veux bien m'accepter.

J'ai levé les yeux de l'écran.

— C'est tout ?

— C'est tout ce que je veux te montrer.

— Qu'est-ce qu'il entend par « si tu veux bien m'accepter » ?

— Je n'en sais rien.

Elle a récupéré son portable et ajouté :

— Mais à ton avis, est-ce que ça ressemble à un mec qui change d'avis ?

— Non, mais tu connais les garçons...

— Oui, a répondu Ema, sourcils froncés.

— Jared écrit qu'il lui reste une chose à faire. De quoi il parle ?

— Aucune idée.

Je me suis creusé la tête un instant.

— Il a quitté son lycée. Tu crois que ça a un rapport ?

— Sûrement. Son école compte beaucoup pour lui. C'est un dingue de basket comme toi. (Elle a consulté son portable, avant de le fourrer dans sa poche.) Il t'a dit pourquoi il était chez lui ?

— Non.

— Tu lui as posé la question ?

— Non.

— Pourquoi ?

Je me suis souvenu des paroles de Rachel.

— On n'est pas allés là-bas pour changer sa vie. Notre mission consistait à le trouver et à s'assurer qu'il allait bien.

Mes mots sont sortis avec plus de virulence que prévu. J'avais une impression bizarre : la lecture de cet e-mail m'avait un peu déstabilisé. Ema, une fille qui comptait énormément pour moi, avait une grande histoire avec un type dont elle était mordue et avec qui elle échangeait des mots… d'amour ?

J'aurais voulu rester indifférent. Mais, en fait, ça ne me plaisait pas du tout.

L'espace d'une seconde (d'une demi-seconde, plutôt), j'ai envisagé de lui demander quand elle lui avait envoyé sa photo pour la première fois. Très tard dans l'histoire – juste après avoir reçu cet e-mail, peut-être ? C'était horrible, je le savais, mais j'avais vu la façon dont Jared avait reluqué Rachel.

La réponse était-elle aussi simple que ça – et aussi superficielle ?

En y repensant, mes sentiments se sont mués en une rage froide à l'égard de Jared Lowell.

Mais je me suis efforcé de n'en rien montrer.

— Il est peut-être encore en danger, a dit Ema. Il dissimule peut-être quelque chose. Si ça se trouve, il essaie de me protéger.

— Te protéger comment ?

— Il se passait un truc dans sa vie. Un truc qu'il voulait fuir pour pouvoir être avec moi. Mais imagine qu'il n'ait pas pu ? Imagine qu'il ait essayé, mais qu'il n'ait pas réussi à échapper à ce truc ?

— Et ce serait quoi, ce truc auquel il aurait voulu échapper ?

— Je ne sais pas. Mais ça mérite peut-être qu'on le découvre.

32

La nuit était tombée quand je suis reparti. Niles m'a proposé de me raccompagner en voiture, mais j'ai préféré marcher. J'avais besoin de m'éclaircir les idées. La maison d'Ema n'était pas seulement immense, elle se situait sur une colline au milieu d'une gigantesque propriété. Je me suis donc engagé dans le chemin long de presque un kilomètre.

Arrivé en bas de la côte, j'ai repéré la voiture noire aux vitres teintées que je commençais à bien connaître. Sa plaque d'immatriculation aussi m'était familière : A30432. Pendant la guerre, Lizzy Sobek avait été déportée à Auschwitz. Son numéro de matricule ?

A30432.

La voiture m'attendait, mais je ne me suis pas approché. Qu'ils fassent le premier pas.

L'homme que j'avais pris l'habitude d'appeler le Chauve en est sorti, vêtu d'un costume et d'une cravate noirs. À présent, je connaissais son nom : Dylan Shaykes. Lorsqu'il n'était encore qu'un petit garçon aux cheveux bouclés, Dylan Shaykes avait été porté disparu, et on ne l'avait plus jamais revu. J'ignorais ce qui s'était passé exactement et comment il était entré au refuge Abeona. Tout ce que je savais, c'était qu'il me surveillait depuis le début.

La voiture noire s'est éloignée, laissant Dylan seul avec moi dans la rue.

— C'est marrant, lui ai-je dit.

— Quoi donc ?

— Je n'ai jamais vu le chauffeur. Qui est-ce ?

Il n'a pas répondu, mais le contraire m'aurait étonné.

— Marchons un peu, a-t-il proposé.

Nous avons parcouru cent mètres sans dire un mot, chacun attendant que l'autre se lance. C'était étrange. J'avais toujours pensé que mon... mais qu'était-il ? Mon mentor ? Mon supérieur direct ? Bref, j'avais toujours pensé que ma relation avec un type comme lui serait une relation d'enseignant à élève, de maître à disciple, comme dans certains films de karaté. Mais ce n'était pas le cas. Il était de mon côté. Il travaillait pour Abeona depuis longtemps, et j'étais sûr qu'il m'aiderait si je me retrouvais dans le pétrin, et pourtant il y avait toujours une tension entre nous.

— Tu as quelque chose qui ne t'appartient pas, a-t-il dit.

— Quoi ?

— Une cassette.

— Ah, c'est vrai. Mais bon, mon père étant dessus, j'ai tendance à penser qu'elle m'appartient à moi aussi. Mon père a participé au sauvetage de Luther, n'est-ce pas ?

— Oui.

— Dans ce cas, pourquoi Luther est-il notre ennemi ?

— C'est une longue histoire.

— Je peux marcher plus lentement si vous voulez.

244

— Tu es encore un novice.

— Pas tant que ça.

— Sais-tu qui était Abeona ?

— Une déesse romaine qui protégeait les enfants.

— Oui, ou, pour être plus exact, Abeona est la déesse romaine des départs. Elle veille sur les enfants qui quittent leur foyer pour la première fois afin d'aller explorer le monde.

— Et le refuge Abeona, depuis quand il existe ?

— Personne ne le sait.

— Comment ça ?

— J'ai été appelé. Tu as été appelé. Lizzy Sobek a été appelée. D'autres ont été appelés avant elle. Et d'autres le seront encore après nous.

— Et vous ne savez pas quand tout a commencé ?

— Non.

— Qui nous appelle ?

— Là, maintenant ? Lizzy Sobek. Un jour, nous aurons un autre dirigeant. (Il m'a souri.) J'ai été des deux côtés, Mickey. Je suis un sauveteur. Mais j'ai été sauvé.

Je me suis rappelé la cérémonie du souvenir organisée à l'église pour un petit garçon nommé Dylan Shaykes.

— Tout le monde vous croit mort.

Il a continué à marcher.

— Même votre père.

— Oui.

— Et ça ne vous pose pas de problème ?

— C'est à cause de lui que j'ai été secouru. Mon père… (Il a fermé les yeux une seconde, comme sous l'emprise de la douleur.) Mon père était un homme abominable.

— C'est la femme chauve-souris qui vous a porté secours ?

— Elle s'appelle Lizzy Sobek.

— Je sais. Mais c'est dangereux d'utiliser son vrai nom, hein ?

— Tu as raison. Oui, elle m'a sauvé. J'étais à l'hôpital. Mon père m'avait battu, encore une fois. J'avais dit aux policiers que j'étais tombé dans l'escalier. Encore une fois. Je ne suis pas sûr qu'ils m'aient cru, mais mon père pouvait se montrer charmant au besoin. Quand j'étais dans cette chambre d'hôpital, j'ai envisagé de me mutiler exprès, afin de pouvoir rester plus longtemps. Je ne voulais surtout pas retourner chez moi. J'étais terrifié. Tu vois ces boîtes de seringues jetables ?

J'ai hoché la tête.

— J'ai essayé d'en ouvrir une pour me procurer une seringue. Je pensais pouvoir m'en servir comme arme ou…

— Ou quoi ?

— Ou pour en finir une bonne fois pour toutes.

Il y avait peut-être du bruit autour de nous. Des voitures qui passaient ou des enfants qui jouaient. Mais je ne les entendais plus.

— Lizzy est entrée, a-t-il continué, vêtue comme une infirmière, et elle m'a emmené.

— Où ?

Un petit sourire est apparu sur ses lèvres.

— À ton avis ?

Je me suis rappelé la cassette qu'il cherchait.

— Dans ce tunnel ?

— Oui. Pendant longtemps, c'est là que nous avons caché les enfants après leur sauvetage, jusqu'à ce qu'on

246

leur trouve un point de chute sûr. Il y a une porte au sous-sol, qui peut être dissimulée par un mur amovible.

— Je l'ai vue.

— Quand tu as trouvé la cassette ?

— Oui.

— Bref, j'y ai passé les deux premières semaines. Ma disparition était très médiatisée, et on ne pouvait pas me transférer tout de suite. Mais la pièce en bas est équipée d'une douche et de toilettes, et il y avait plein de nourriture en conserve. En plus, elle est insonorisée, si bien que, si un enfant effrayé pleurait, personne ne pouvait l'entendre, ni la police ni un visiteur trop curieux. Il y avait deux autres garçons avec moi. L'un était déjà là à mon arrivée, et l'autre nous a rejoints quelques jours plus tard. Ensuite, on nous a déplacés.

— Où ?

— En lieu sûr. Mais on ne sait jamais où les enfants sont envoyés ensuite. Ça fait partie du fonctionnement d'Abeona. Tout est compartimenté. Je ne sais donc pas ce qui est arrivé à ces deux garçons.

— Et vous ?

— Moi, j'ai été envoyé en Angleterre. J'ai passé les années suivantes dans la ville de Bristol.

Ce qui expliquait son accent anglais.

Tout se tenait. Personne ne connaissait l'existence du tunnel. On pouvait le rejoindre discrètement, en passant par les bois, puis le garage.

— Maintenant, à cause de moi, ce n'est plus possible.

— Pardon ?

— On ne peut plus utiliser cette pièce secrète. La police en connaît l'existence. Si d'autres enfants disparaissaient, ce serait le premier endroit où elle irait les chercher.

— Exact. Mais, de toute façon, la maison a été détruite. Nous passions encore par le tunnel. Mais la chambre forte… (Son visage s'est assombri.) Nous ne nous en servions plus depuis longtemps.

— Pourquoi ?

— Elle a été condamnée il y a des années.

— Que s'est-il passé ?

Dylan n'a pas répondu tout de suite.

— Que s'est-il passé pour que vous cessiez de l'utiliser ?

— C'est ce que je voudrais que tu comprennes, Mickey.

— Quoi ?

— Tu as regardé la cassette où apparaissent Luther et ton père ?

J'ai eu l'impression qu'une main glacée m'effleurait la nuque.

— Oui.

— Ces garçons ont été les derniers à l'utiliser.

33

Dylan s'est mis à accélérer l'allure.

— Attendez ! ai-je crié. Que s'est-il passé ?

— Un jour, nous avons porté secours à une petite fille. Je ne te raconterai pas les horreurs qu'elle avait endurées. Sa mère lui avait fait subir des choses inimaginables, et pourtant elle continuait à la considérer comme sa maman. Elle se figurait qu'elle aimait cette femme monstrueuse. C'est comme ça. On s'attache parfois à son bourreau, surtout quand on est un enfant et qu'on n'a rien connu d'autre.

Spoon avait dit la même chose quand il nous avait parlé du syndrome de Stockholm. Et je me suis souvenu de l'air de défi qu'affichait le petit Luther sur la cassette.

— C'était le cas avec Luther ?

— Oui.

— Alors, qu'est-il arrivé ?

— Ton père a fait une erreur, cette nuit-là.

— Quel genre d'erreur ?

— Quelqu'un l'a vu.

J'ai repensé à la soudaine interruption sur la cassette que nous avions visionnée dans la chambre de Spoon.

— On l'a suivi jusqu'à la maison, ai-je dit.

— Oui.

— Et c'est à ce moment-là que vous avez paniqué. Je l'ai vu sur l'enregistrement.

Dylan a fait « oui » de la tête.

— C'était qui ?

— La police de l'État.

— Est-ce qu'ils ont fouillé la maison ?

— Oui.

— Mais ils n'ont pas trouvé les garçons.

— Non, ils étaient dans la chambre forte, dont la porte était cachée par le mur. Luther appelait à l'aide.

— Mais les policiers ne pouvaient pas l'entendre.

Une fois encore, Dylan a eu l'air malheureux.

— Exactement.

— Que s'est-il passé ensuite ?

— Tu as remarqué le petit garçon, sur la bande ? Celui que Luther tenait par les épaules ?

— Oui.

— Il s'appelait Ricky. Ce n'était pas son frère biologique, ni même son frère adoptif. Mais, par certains côtés, il comptait encore plus que ça pour lui. Ces deux-là avaient connu l'enfer ensemble. Luther l'avait toujours protégé.

— Que lui est-il arrivé ?

Dylan a pris une profonde inspiration avant de répondre :

— Il est mort.

J'ai senti ma gorge se nouer.

— Comment ?

— Il faut que tu comprennes. La police nous surveillait. Ils ont même emmené Lizzy Sobek au commissariat pour l'interroger. Nous avons une bonne avocate dans l'équipe d'Abeona, qui est venue pour l'aider à s'en tirer. Mais, pour en revenir à cette pièce, nous avions fait en sorte que personne ne puisse y entrer ou en sortir. Et, comme je te l'ai dit, elle était insonorisée. Toutes ces précautions avaient permis de sauver de nombreux enfants au fil des années. Mais ça signifiait aussi qu'en cas de problème un certain temps pouvait s'écouler avant qu'on s'en rende compte.

— Le problème, c'était quoi ?

— Ricky était malade. Il souffrait de crises d'épilepsie. Quand ton père les avait sauvés, ç'avait été le chaos. Il avait dû faire très vite. Luther lui avait dit qu'il fallait retourner chercher les médicaments de l'enfant, mais ton père n'a pas pu. Ce n'était pas sa faute, bien sûr. En temps normal, on s'en serait occupé immédiatement. Ça fait partie de notre protocole. Nous les interrogeons toujours sur un éventuel traitement à leur arrivée.

— Mais pas cette nuit-là.

— Non, cette nuit-là, la police a débarqué, et nous n'en avons pas eu le temps. Ricky a eu une crise. Une crise très grave.

— Et il est mort ?

— Oui.

Dylan Shaykes m'a regardé en face.

— Tu imagines ? Voir mourir sous ses yeux le seul être au monde qu'on ait jamais aimé ? Tambouriner sur la grande porte métallique ? Crier pour appeler à l'aide ?

— Et personne ne pouvait l'entendre…

Dylan a hoché la tête.

— Après ça, la pièce a été condamnée. Personne n'y est entré depuis.

Nous avons marché un instant en silence.

— Luther n'a jamais pardonné, n'est-ce pas ?

— Il avait affirmé que si, mais c'était uniquement pour être placé. Dès qu'il a pu, il s'est enfui. J'ignore où il est allé. Il nous en voulait à tous, mais surtout à ton père. Et il a juré de se venger.

— Qu'a-t-il fait à mon père ?

— Je l'ignore.

— Je l'ai vu le jour de l'accident. Il y a huit mois. Il portait une tenue d'ambulancier. C'est lui qui a emmené papa.

— Je sais.

— La femme chauve-souris pense que mon père est en vie. Et vous ?

Il m'a suffi de regarder le visage de Dylan pour connaître la réponse.

— Non.

J'ai dégluti.

— Vous pensez...

— ... que Luther a tué ton père, oui. Je l'ai vu, Mickey. J'ai vu la rage dans ses yeux. Je ne crois pas qu'il l'ait épargné. Je pense qu'il l'a enlevé et qu'il l'a tué.

— C'est pour ça qu'il a incendié la maison ? Pour se venger ?

— Je suppose.

— Et il court toujours.

— Oui.

— Ce qui signifie que vous n'êtes toujours pas en sécurité.

— Aucun de nous ne l'est, Mickey. Aucun de nous n'est en sécurité.

34

Je suis rentré à la maison épuisé.

Je comptais envoyer un message à Ema pour lui raconter ma conversation avec Dylan Shaykes, mais dès que ma tête s'est posée sur l'oreiller, j'ai senti mes paupières se fermer. Ça pouvait attendre, me suis-je dit. Et mieux vaudrait lui parler en face à face.

Une minute plus tard, je dormais à poings fermés.

En allant au lycée lundi, j'ai changé d'itinéraire pour éviter la maison de la femme chauve-souris. Je ne sais pas vraiment pourquoi. Ou plutôt si, je le savais, mais je ne voulais pas m'appesantir là-dessus.

J'avais souvent songé à tous les enfants qui avaient été secourus dans cette maison. Maintenant, pour la première fois, je me suis mis à penser à un petit garçon qui était mort, enfermé dans cette chambre forte. Je haïssais Luther. Je le haïssais pour ce qu'il nous avait fait, à ma famille et moi. Un jour, j'espérais me retrouver face à lui pour régler mes comptes.

Mais, d'un autre côté, je le comprenais. Et je me demandais ce qu'il avait dû ressentir lorsque, pris au piège de cette pièce, il avait vu mourir la seule personne qu'il aimait, sans pouvoir lui venir en aide.

Certes, la femme chauve-souris m'avait averti dès le début : les gentils ne gagnent pas toujours. On sauve autant de gens qu'on peut. Une vieille expression arabe dit que, quand une personne meurt, un univers entier disparaît. L'inverse est aussi exact. Quand on sauve une vie, même une seule, on sauve un univers.

Mais on ne peut pas sauver tout le monde.

J'étais à trois cents mètres du lycée, quand une voiture de sport rouge s'est arrêtée à ma hauteur. Troy était au volant.

— Je t'emmène ?

— OK.

Je me suis glissé sur le siège passager. La voiture était si basse que j'avais l'impression d'avoir les fesses qui rasaient la chaussée. Troy a passé une vitesse et redémarré.

— J'ai beaucoup réfléchi à notre conversation, a-t-il dit. À propos de Buck.

— Ah… Et ?

— Je ne sais pas comment le formuler.

Il s'est passé une main dans les cheveux, en gardant les yeux braqués sur la route.

— Si je t'ai mené la vie dure depuis ton arrivée, c'est en partie à cause de ton oncle. Myron et mon père ne s'aiment pas.

— J'ai cru comprendre. Tu sais pourquoi ?

— Ça date du temps où ils étaient au lycée. L'année de sa terminale, mon père était capitaine de l'équipe de basket, et Myron était en seconde.

Aucun de nous n'a jugé utile de préciser *comme nous*, puisque nous y pensions tous les deux.

— Et que s'est-il passé ?

— Je n'en sais rien, et toi ?

254

— Aucune idée.

— Sauf qu'ils se détestent toujours après tout ce temps, a dit Troy. Et je n'ai pas envie qu'il nous arrive la même chose.

J'aurais dû répondre quelque chose du genre « Moi non plus » ou « Ça n'arrivera pas », mais ça me paraissait débile, donc j'ai préféré éviter tout commentaire. Je regardais Troy conduire. Ces derniers temps, il avait paru perturbé, mais pas autant qu'en cet instant.

— Qu'est-ce que tu me caches ? ai-je demandé.

Il a serré les mâchoires comme pour se retenir de dire quelque chose.

— Troy, si tu veux que je t'aide…

Il a donné un brusque coup de volant, puis il a ralenti et arrêté la voiture. Nous étions encore à cent mètres du lycée.

— Buck est mon meilleur ami depuis l'âge de six ans. Depuis l'époque de M. Ronkowitz en CP. Est-ce que tu as des amis comme ça, Mickey ?

J'ai eu un petit coup au cœur.

— Non. Pas un seul.

— Ema et toi, vous êtes proches, non ?

— Oui.

— Imagine que vous ayez été aussi proches depuis l'âge de six ans. Bon, je ne dis pas qu'il faut forcément se connaître depuis longtemps pour être amis. Mais quand même… Depuis l'âge de six ans ! Tu vois ce que je veux dire ?

— Je crois, oui.

Troy a fermé les yeux et poussé un soupir.

— Buck prenait des stéroïdes.

Pendant un moment, on est restés là, deux mecs

255

assis dans une voiture garée dans une petite rue, sans rien dire. La révélation paraissait flotter entre nous.

— Il a commencé quand ? ai-je fini par demander.

— Je ne sais pas exactement. Au printemps dernier.

— Et il t'en a parlé ?

— Au début, non. C'est moi qui lui ai posé la question quand je me suis aperçu qu'il grossissait. Il voulait que j'en prenne aussi, mais j'ai répondu que je n'en avais pas besoin. Ensuite, quand tu es arrivé, il est revenu à la charge, en me disant que j'avais toujours été le meilleur marqueur, mais que, si je ne m'améliorais pas, tu prendrais ma place. Il devenait de plus en plus agressif. C'est ce qu'on appelle le *roid rage*, hein ?

Le *roid rage* : l'un des nombreux effets secondaires de la prise de stéroïdes. On se mettait en colère sans raison ; on était en proie à des crises de violence. Ou alors on était déprimé, parfois même suicidaire.

Troy a secoué la tête.

— J'aurais dû l'empêcher de prendre cette merde. Je l'ai vu changer, mais je n'ai rien fait. Et ensuite… même avec moi, il n'était plus le même.

— Qu'est-ce que tu veux dire ?

— Mon père m'a expliqué un jour que les relations entre les gens ne sont jamais équilibrées : c'est rarement cinquante-cinquante. Et que, si on s'imagine le contraire, on va au-devant de graves ennuis.

— OK.

— Avec Buck, j'étais le meneur, et lui, le suiveur. C'était comme ça, point barre. Je n'y pensais pas vraiment. Mais au cours des dernières semaines, tout d'un coup, j'ai eu l'impression qu'il ne le supportait plus.

— Le fait que tu sois le meneur ?

— Oui. Je pense que c'était à cause des stéroïdes. Il s'est mis à passer sa colère sur moi aussi.

J'y ai réfléchi un moment.

— Buck voulait que tu prennes des stéroïdes ?

— Oui.

— Et il t'en voulait de ne pas le faire ?

— Ouais. Un jour, il m'a dit un truc du genre : « Tu te crois trop fort pour ça. » Je ne me souviens plus de la phrase exacte.

— Comment il se les procurait ?

Troy a fermé les yeux.

— Oh, non.

— Quoi ?

— Je préfère ne pas en parler.

— Troy, j'essaie de t'aider.

— Ça reste entre nous, d'accord ?

— Qui les lui fournissait ?

Il s'est tourné vers moi et m'a regardé bien en face.

— Son frère.

Je crois que j'ai écarquillé les yeux.

— Randy ?

— Oui. Il deale à la salle de sport de son père. C'est connu.

— Mais Randy a une belle carrière devant lui. Pourquoi il prendrait ce risque ?

— Tu es sérieux, là ?

— Oui.

— Comment tu crois qu'il est arrivé si haut ? Tu sais combien d'athlètes se dopent ? Des pros, mais aussi des sportifs universitaires, et même des lycéens. C'est presque une épidémie. Certains se font attraper, mais la plupart savent comment gérer les cycles de prise ou absorbent des agents masquants. Tout le monde cherche à prendre l'avantage, Mickey. On le fait parce que les autres le font. Untel va décrocher une bourse universitaire grâce à ça, alors tu le fais pour rester au même niveau. Au bout d'un moment, plus personne ne se rend compte que c'est de la triche. On a seulement l'impression d'avoir des chances égales sur le terrain.

— C'est ce que tu penses, Troy ?

— Hein ? Non, bien sûr que non. Je t'explique ce qu'il en est, c'est tout. Personnellement, je n'en ai pas besoin. Je suis meneur. Mon jeu repose plus sur la finesse que sur les muscles. Mais je comprends. Pas toi ?

— Non. Moi, je ne tricherais pas.

— Vraiment ? J'ai vu à quel point tu aimes le basket. Imagine que tous les gars prennent une petite pilule qui les rend plus grands et plus forts, et que tu te retrouves largué. Tu te fais virer de l'équipe. Tu n'es plus assez bon. Et tout ça parce que les autres ont pris cette pilule et pas toi. Est-ce que tu soutiens que tu ne succomberais *jamais* ? Que tu accepterais de te faire sacquer et de voir les autres te piquer ta place ?

J'ai remué sur mon siège.

— Ce n'est pas comme ça que ça se passe.

— Mais certains commencent à le croire. Toi, tu es naturellement doué, tu n'as pas à t'inquiéter pour ça. Mais bon… j'essaie peut-être de justifier ce qu'a fait un ami. Je ne sais pas.

J'ai tenté d'assimiler tout ce que je venais d'apprendre. D'après Troy, Randy Schultz vendait des stéroïdes. Est-ce que c'était vrai ? Et comment le vérifier ?

Myron était peut-être au courant.

J'ai repensé à la scène tendue que j'avais surprise la semaine précédente dans la salle de sport Schultz. Que s'était-il passé entre mon oncle et Randy ? Qu'attendaient-ils de lui en tant qu'avocat ? Et pourquoi Myron avait-il invoqué la clause de confidentialité pour ne pas m'en parler ?

— Il y a autre chose, a repris Troy.

J'ai attendu la suite.

— Je n'y ai pas accordé beaucoup d'importance, avant toute cette histoire, ni même après, d'ailleurs. Malgré tout ce que je viens de dire, Buck reste mon meilleur ami. Je ne veux pas croire...

— Qu'est-ce que tu ne veux pas croire ?

— Tu vois la remise derrière le stade de la ville ?

Le stade était bordé par le lycée d'un côté et par des bâtiments municipaux de l'autre.

— Non, pas vraiment.

— Derrière l'hôtel de ville, à côté du YMCA.

— OK.

— Quelques jours avant les contrôles antidopage, je devais retrouver Buck au stade. On avait décidé d'aller courir. Je suis arrivé un peu plus tôt que prévu, et c'est là que j'ai vu un truc bizarre.

— Quoi ?

— J'ai vu Randy et Buck entrer dans cette remise.

J'avais du mal à suivre.

— Celle qui est derrière l'hôtel de ville ?

— Exact.

— C'est quoi, comme genre de remise ?

— Justement, c'est ça, le truc. Je me suis renseigné. Elle appartient à la salle de sport Schultz.

— Donc, c'est à eux ?

— J'imagine. Bref, je les ai suivis, et quand ils m'ont vu, ils ont flippé.

— Comment ça ?

— Ils ont baissé les stores, puis sont sortis comme si de rien n'était. Mais j'ai vu quelque chose.

— Quoi ?

Troy a pris son temps, avant de répondre :

— Des tubes à essais.

J'ai essayé d'en tirer des conclusions, en vain.

— Tu en as parlé à Buck ?

— Non.

— Pourquoi ?

— Eh bien… je me suis dit que ce devait être lié au dopage. Tu vois ? Que c'était là qu'il s'approvisionnait.

— Tu as changé d'avis ?

— Je ne sais pas. Mais c'est la dernière fois que nous nous sommes parlé, Buck et moi. Plus rien n'a été pareil après. Maintenant, il est parti, et je me suis fait exclure de l'équipe. Donc, je repense à ce que tu as dit. Je pense à cette remise. Et je me dis qu'on y trouverait peut-être les réponses qu'on cherche.

35

Troy et moi avons décidé de nous retrouver au stade municipal ce soir-là et de profiter de l'obscurité pour explorer la remise. J'avais espéré discuter avec Ema pendant le déjeuner – j'avais vraiment besoin de son avis concernant l'histoire de Luther, sans parler des révélations de Troy sur Buck et son frère –, mais elle avait un cours de soutien avec Mme Cannon, sa prof de maths, pour préparer un contrôle important.

Les études n'attendent pas. Les études se moquent de nos problèmes.

Vers 14 heures, j'ai reçu un SMS de Spoon, également adressé à Ema et Rachel.

Trouvé un truc énorme. Vous pouvez venir quand ?

J'ai répondu que j'irais le voir après l'entraînement. Ema a dit qu'elle avait des devoirs et me retrouverait à l'hôpital. Quant à Rachel, elle devait passer une audition pour le rôle d'Éponine dans la comédie musicale *Les Misérables* qui se montait au lycée : elle ne serait pas là, mais espérait qu'on la tiendrait au courant.

La bande.

En pensant à nous quatre, je me suis demandé

quelles chances nous avions contre des types comme Luther. Apparemment aucune. D'un autre côté, nous ne nous étions pas mal débrouillés jusqu'ici.

Dès la fin de l'entraînement, je me suis dépêché de me doucher et de me changer avant d'aller à l'hôpital. La dame à l'accueil commençait à bien me connaître et m'a tendu un badge sans discuter.

En sortant de l'ascenseur, je suis passé devant le salon réservé aux familles des patients, où j'ai aperçu Mme Spindel, assise dans un coin, le regard perdu vers la fenêtre. Ses yeux ressemblaient à des billes fêlées. Nous ne nous étions pas parlé depuis ma première visite après la fusillade : elle n'avait alors pas hésité à me dire qu'elle me jugeait responsable de ce qui s'était passé.

Oh, je sais que c'est ta faute...

Comme si elle avait senti ma présence, la mère de Spoon s'est tournée vers moi et m'a regardé en silence. Je ne savais pas quoi faire. Agiter la main pour lui dire bonjour paraissait idiot. Je me préparais à subir une fois encore ses foudres, mais elle m'a surpris en disant :

— Merci, Mickey.

— De quoi ?

— D'être là. D'être son ami.

La dernière fois, sa colère m'avait fait mal, mais ça, c'était encore pire. L'ami de Spoon ? Vous parlez d'un ami !

— Comment va-t-il ?

— Pas d'amélioration.

J'aurais voulu prononcer des paroles encourageantes, mais mon intuition me soufflait que ç'aurait été la dernière chose à faire. Je me suis donc contenté de hocher la tête.

— Je suis désolée, a-t-elle repris. J'ai été trop dure avec toi. J'espère que tu comprends...

— Vous aviez raison.

— Non, Mickey. Ce n'était pas ta faute. Je vois bien que tu es très attaché à lui – et lui à toi. Ce genre d'amitié, c'est rare et précieux. Simplement, depuis que tu as emménagé ici...

Elle n'a pas fini sa phrase, mais c'était inutile. Le constat, je l'avais déjà fait moi-même. J'avais voulu rentrer aux États-Unis, m'implanter dans une ville comme Kasselton, fréquenter un vrai lycée et jouer dans une vraie équipe. Même si j'aimais beaucoup la vie de nomades que nous vivions avant, j'avais aussi très envie de normalité.

Si bien que mes parents avaient fini par céder.

Aujourd'hui mon père était mort, ma mère droguée, et mon nouvel ami couché dans un lit d'hôpital, paralysé des jambes.

J'ai repensé aux paroles de la femme chauve-souris, sur le grand avenir de Spoon. J'aurais bien voulu les répéter à Mme Spindel, mais je me rendais compte à quel point ç'aurait paru stupide. Je ne comprenais pas la femme chauve-souris – ou Elizabeth Sobek, appelez-la comme vous voulez. J'avais toujours espéré que mon vieux mentor serait plus gentille ou plus douce – quelqu'un dont j'aurais pu me sentir proche. Mais ce n'était pas du tout le cas. Chaque fois que je la voyais, j'étais plus dérouté qu'avant. Parfois, je me disais qu'elle avait des pouvoirs spéciaux, puis il se passait quelque chose qui me ramenait brutalement à la réalité.

Le destin n'avait rien à voir là-dedans. Il n'y avait pas de gagnant prédéterminé. Nous pouvions gagner. Mais nous pouvions tout aussi bien mourir.

Pourtant, la femme chauve-souris m'avait affirmé que Spoon était appelé à faire de grandes choses. Elle m'avait dit que mon père était encore en vie.

Savait-elle quelque chose ?

Avait-elle des pouvoirs quelconques ? Ou n'était-elle qu'une bonne âme un peu dérangée, qui en sauvait certains et en perdait d'autres ?

Mme Spindel s'est retournée vers la fenêtre, se désintéressant de moi ou me donnant peut-être la permission d'aller voir son fils. C'est alors que j'ai senti une main se poser dans mon dos. C'était Ema.

— Salut, m'a-t-elle dit d'une voix douce.

— Salut.

Nous avons traversé ensemble le couloir jusqu'à la chambre de Spoon. Deux médecins en sortaient, la mine sombre. Une piqûre de rappel au cas où j'aurais oublié la réalité.

Spoon lui-même paraissait distrait.

— Ça va ? lui ai-je demandé.

Il n'a pas répondu tout de suite.

— Dans ton texto, tu disais que tu avais trouvé un truc énorme ?

— Toi d'abord.

— Quoi, moi ?

— Raconte-nous, pour Luther.

Je les ai donc mis au courant de ce que j'avais appris sur Dylan Shaykes, sur Luther, qui avait été sauvé par mon père, sur la mort du petit Ricky, dont Luther jugeait mon père responsable. Ema m'écoutait, apparemment sous le choc, mais Spoon semblait toujours ailleurs.

Quand j'ai eu fini, et avant qu'Ema ait pu dire un mot, Spoon m'a demandé :

— Maintenant, parle-nous de Jared Lowell.

— Qu'est-ce que tu veux savoir ?

— Raconte-nous ta visite à l'île d'Adiona.

— Je l'ai déjà fait.

— Recommence. Redis-nous tout depuis le début. Depuis l'instant où vous avez posé le pied sur cette île jusqu'à votre départ.

— Pourquoi ?

Spoon s'est contenté de me regarder. J'ai donc tout raconté une fois encore : la traversée en ferry, l'arrivée sur l'île, le trajet à pied jusqu'à la petite rue où vivait Jared, puis notre conversation avec lui. Spoon m'a interrompu plusieurs fois pour réclamer des précisions, qui pour la plupart semblaient totalement inutiles.

— Où est-ce que tu veux en venir ? a fini par lui demander Ema.

— Tu tiens vraiment à ce type, n'est-ce pas ?

Je ne l'avais jamais vu aussi sérieux.

— Oui.

— Alors, est-ce que tu y crois ?

— À quoi ?

— Au fait que Jared Lowell flirtait avec toi en ligne puis qu'il a arrêté brusquement, sans raison, tout en décidant au même moment de rentrer sur l'île d'Adiona ?

— Non, je n'y crois pas.

— Parce qu'il avait de vrais sentiments pour toi.

— Eh bien, j'ai pu me faire manipuler, mais...

— Tu peux te faire manipuler de plein de façons, Ema, a dit Spoon, avec une pointe d'irritation dans la voix. Mais pas dans ce cas-là. Pas avec les sentiments. Tu peux te faire avoir par l'enrobage extérieur. Mais pas par ton cœur.

Ema et moi l'avons dévisagé, abasourdis. Qu'était-il arrivé à notre camarade ? Comme pour nous prouver qu'il n'avait pas changé, il a arqué un sourcil et ajouté :

— J'ai lu des romans d'amour en cachette.

— Je ne comprends toujours pas où tu veux en venir.

— À l'île d'Adiona.

— Mais encore ?

— Le nom Adiona.

J'ai essayé de ne pas montrer que j'étais largué.

— Vous savez qui était Abeona, n'est-ce pas ?

— Pardon ?

— Abeona, la déesse romaine des voyages.

— Je ne vois toujours pas le rapport…

— Adiona est sa sœur.

Je me suis figé.

— Adiona est la déesse romaine du retour à bon port. Elles veillent toutes les deux sur les enfants. C'est leur rôle. Elles sont complémentaires. Abeona protège les enfants lorsqu'ils quittent le foyer, Adiona lorsqu'ils reviennent.

Comme Ema et moi ne disions rien, Spoon a enchaîné :

— L'un de vous croit-il à une coïncidence ?

Nous n'avons pas répondu.

— Moi non plus. Vous devez retourner là-bas. Le plus vite possible.

36

— Cette fois, je viens, a déclaré Ema, lorsque nous sommes sortis de l'hôpital. Je veux que Jared me regarde en face et me dise que ça ne comptait pas.

— OK.

— On part demain matin ?

— Très bien.

— Bon, et toi ? m'a-t-elle demandé.

— Comment ça, et moi ?

— Tu ne crois pas qu'on a dépassé ce stade, Mickey ?

— Oui, tu as raison.

— Alors ?

— C'est à propos de Troy.

Elle a poussé un soupir.

— Tu essaies toujours de prouver qu'il n'a pas pris de stéroïdes ?

— Oui. Et je crois qu'il a été piégé.

— Par qui ?

— Par Buck.

Ema a secoué la tête.

— Qu'est-ce qu'il y a ?

— Buck ne met pas de ketchup sur ses frites sans la permission de Troy.

— Le frère de Buck est peut-être impliqué.

— De quelle manière ?

Je l'ai mise au courant de ce que j'avais appris jusqu'ici. Nous étions arrivés à la route où Ema me faussait compagnie avant que j'apprenne la vérité sur sa mère et sur l'endroit où elle vivait.

— Donc, Troy et toi avez décidé de vous introduire dans cette remise ?

— J'aurais peut-être besoin d'aide.

— La mienne ?

— Bien sûr.

— Oublie.

— Pourquoi ? Aider les gens, c'est ce qu'on attend de nous.

— Je ne veux pas aider Troy Taylor.

— Mais ça pourrait nous conduire à la vérité.

— Je m'en fous, Mickey. Tu n'as pas l'air de comprendre. Ce mec a été dégueulasse avec moi pendant toute ma vie.

— OK, très bien.

— Quoi, très bien ?

— Je ne l'aiderai pas non plus.

— Ah non, tu ne vas pas me mettre ça sur le dos !

Je me suis arrêté, et nous nous sommes regardés. Comme je suis beaucoup plus grand qu'elle, elle a dû lever les yeux. Je sais que ça ne lui aurait pas plu de le savoir, mais je lui ai trouvé l'air fragile. Juvénile, innocent, et fragile. Et l'idée que ces yeux-là puissent voir quelque chose qui la blesserait m'était insupportable.

La nuit commençait à tomber. Le visage d'Ema brillait au clair de lune.

Elle me donnait envie de la protéger. Toujours.

— Les gens changent, Ema.

Elle a cligné des paupières et détourné le regard.

— Je ne crois pas, non. (Faisant un pas en arrière, elle s'est tournée vers le bois, à droite.) Je rentre. Inutile de me suivre.

— Donc, tu n'as vraiment pas l'intention de m'aider ?

— Non, je n'ai vraiment pas l'intention de t'aider. Mais, Mickey... ?

— Oui ?

— Si ça tourne mal, je serai là pour toi.

— Pourquoi veux-tu que ça tourne mal ?

Mais elle s'était déjà éloignée sur le sentier.

37

Le stade municipal était plein de joggers de tous âges, sexes et tendances politiques. Bien éclairée et agréable, la piste offrait aussi du public pour ceux qui aimaient s'exhiber dans l'effort. Je me tenais à côté d'une statue de Robert Frost devant la bibliothèque, à l'extrémité sud du stade. Les bâtiments municipaux, le YMCA et, donc, la remise des Schultz, étaient situés de l'autre côté de l'avenue Kasselton.

Mon portable a sonné. C'était Troy.

— Où es-tu ? lui ai-je demandé.

— Regarde vers le YMCA.

Il faisait trop sombre pour distinguer grand-chose.

— À droite, dans le fond, a-t-il ajouté. Je lève mon téléphone.

J'ai alors aperçu un point lumineux dans la pénombre.

— Je te vois, ai-je dit. J'arrive.

J'ai raccroché et suivi la lumière. L'avenue Kasselton étant l'artère la plus fréquentée de la ville, j'ai attendu que le feu passe au rouge pour traverser au passage piéton. Inutile de transgresser d'autres lois ce soir.

En bifurquant vers le YMCA, j'ai retrouvé Troy vers l'arrière du bâtiment.

— Merci d'être venu, m'a-t-il dit.

— Pas de quoi. Où est la remise ?

— Au bout de ce sentier. Viens, je vais te montrer.

Nous nous sommes engagés sur le chemin bétonné qui s'enfonçait dans l'obscurité. Derrière nous, l'éclairage du stade formait comme un dôme et procurait juste assez de lumière pour dessiner les contours d'une petite construction à environ trente mètres de nous.

La remise était plongée dans le noir.

— Mickey ? a chuchoté Troy.

— Oui ? ai-je chuchoté en réponse.

— Buck ne m'aurait pas fait un coup pareil. Peu importe ce qu'il prenait ou ce qu'il fabriquait. Il ne m'aurait pas fait ça.

— Et Randy ?

— Peut-être. Mais pourquoi ?

— Pourquoi Buck l'aurait-il fait ? Pourquoi quiconque l'aurait fait ?

Cette question, je n'arrêtais pas de me la poser. Pourquoi quelqu'un trafiquerait les résultats du contrôle antidopage de Troy Taylor ? Qui y aurait intérêt ? Qui le détestait assez pour… ?

Oh, oh. Sûrement pas !

Parce que, quand je pensais à ceux qui détestaient Troy, le premier nom qui me venait à l'esprit était celui d'Ema.

Aussitôt, j'ai repoussé cette idée. Hélas, mon esprit fonctionnait parfois comme ça : il allait dans des endroits qu'il aurait mieux fait d'éviter.

— Je ne sais pas, a répondu Troy.

— Allons voir ce qu'on peut trouver là-bas.

272

— OK. Comment on procède ?

J'ai pris la direction des opérations et je me suis approché à pas de loup. Lorsque Troy m'avait parlé d'une remise, je m'étais représenté une sorte d'abri de jardin où l'on range les outils. Cette construction était plutôt de la taille d'un garage. Elle était bizarrement située, derrière l'hôtel de ville, non loin du commissariat de police, de la bibliothèque et du lycée. On aurait pu croire qu'on se trouvait sur un terrain municipal, mais apparemment, le père de Buck l'avait achetée.

Pourquoi ?

Je me suis approché de la fenêtre et j'ai mis les mains en coupe contre la vitre pour regarder à l'intérieur. Je m'attendais presque à voir surgir un visage, un énorme visage de clown avec un sourire sardonique qui me ferait sursauter et pousser un cri.

Arrête ça, me suis-je rabroué.

On ne voyait rien, il faisait trop sombre.

— Tu distingues quelque chose ? a murmuré Troy.

— Non.

Nous avons fait le tour de la remise. Je comprenais pourquoi on l'appelait comme ça : c'était une construction en préfabriqué. Les deux autres fenêtres devant lesquelles nous sommes passés avaient les stores baissés.

— Et maintenant, qu'est-ce qu'on fait ?

Il y avait une porte à l'arrière. Bien. De ce côté-là, personne ne pouvait nous voir depuis la piste. Quoique, à la réflexion, de la porte de devant non plus, alors qu'elle faisait plus ou moins face au stade.

— On essaie par là.

Il arrive qu'on ait de la chance : il suffit parfois de tourner la poignée pour qu'une porte s'ouvre. Mais pas cette fois. Une rapide inspection m'a cependant appris que la serrure était plutôt rudimentaire.

Quelques semaines auparavant, Ema et moi avions tenté de pénétrer dans la maison de la femme chauve-souris. M'inspirant de ce que j'avais vu cent fois à la télé, j'avais sorti ma carte de crédit pour la passer entre le montant et la porte. Ça n'avait pas marché, mais la serrure était si vieille qu'elle avait cédé sous une simple poussée. Après ça, par curiosité, j'avais cherché sur Internet comment forcer des serrures. En fait, ce n'est pas si facile. S'il s'agissait d'une serrure à pêne dormant, ce serait impossible, mais si c'était un simple pêne demi-tour, je réussirais peut-être à en faire mon affaire.

C'était un simple pêne demi-tour.

J'ai sorti ma carte de crédit, je l'ai insérée dans la fente, puis je l'ai fait glisser vers la serrure. Je l'ai ensuite inclinée vers la poignée, espérant passer le coin sous le pêne. Il ne s'est pas produit grand-chose. J'ai appuyé l'épaule contre la porte. Le truc, c'est d'ouvrir très vite dès qu'on sent le déclic. Du moins, c'est ce que disaient les sites Web.

Ça ne marchait pas.

J'ai poussé un peu plus fort avec l'épaule. Le matériau bon marché avait du jeu. Sentant que ça venait, j'ai lancé un coup d'œil à Troy.

— Je peux le faire, si tu veux, a-t-il dit.

Mais j'y étais presque. Mes doigts n'étaient peut-être pas très agiles, mais il n'y a rien de tel qu'une épaule puissante. M'écartant légèrement, j'ai donné un coup un peu plus fort dans la porte, qui s'est ouverte.

Entrée par effraction. Encore une fois.

Dans ma tête, je préparais déjà des excuses au cas

où nous nous ferions prendre : nous avions entendu quelqu'un appeler à l'aide ; nous avions trouvé la porte entrouverte et étions entrés pour vérifier qu'il n'y avait pas de problème.

Excellent… comme si quelqu'un allait avaler ça.

Au moins, j'avais la carte « vous êtes libéré de prison » dans mon jeu : le fils du commissaire de police en personne. Lentement, je suis entré dans la remise, suivi de Troy. L'espace était séparé en deux par une cloison. C'était à peu près tout ce qu'on voyait dans l'obscurité.

— Tu prends la pièce de gauche, je prends celle de droite, ai-je dit.

— Tu crois qu'on peut utiliser nos torches ?

— En gardant le faisceau sous le niveau des fenêtres.

— OK… Mickey ?

— Quoi ?

— Qu'est-ce qu'on cherche ?

— Une grande pancarte avec le mot « indice » écrit dessus.

Ce qui a fait rigoler Troy.

— Non, mais sérieusement ?

— Un ordinateur portable. Des dossiers. Je ne sais pas exactement. On le saura quand on le verra.

— Pigé.

On s'est séparés là. J'ai aperçu une table au centre de la pièce et pris le risque de lever le faisceau lumineux pour voir ce qu'il y avait dessus.

On se serait crus dans le labo de chimie du lycée.

Il y avait des tubes à essais, des béchers et d'autres contenants. J'ai presque failli chercher le bec Bunsen. J'ai éteint ma torche et essayé de réfléchir.

Un labo.

Pourquoi ?

J'ai repensé à ce que m'avait dit Troy, à propos de Randy qui vendait des produits dopants. Est-ce qu'ils étaient fabriqués ici ? D'ailleurs, comment fabriquait-on des stéroïdes ? Je n'en avais aucune idée.

La pièce étincelait de propreté. À droite, j'ai vu un cylindre en métal. Des placards en inox s'alignaient contre un mur. Ils étaient froids. Quand j'ai tiré la poignée de l'un d'eux, il s'est ouvert comme un frigo, libérant une bouffée d'air glacé. J'ai levé ma torche pour inspecter l'intérieur.

— Ah, beurk, ai-je marmonné.

Troy a passé la tête dans la pièce. Il a braqué sa torche sur mon visage, avant de la diriger vers le placard ouvert.

— Attends, est-ce que c'est… ?

— Je crois, oui.

Le placard était plein de petits flacons en plastique que j'ai reconnus pour en avoir utilisé lors du contrôle antidopage. Ils étaient remplis d'un liquide jaune. En clair, le placard contenait…

— Des échantillons d'urine, ai-je confirmé.

Avec une grimace, j'ai sorti l'un des tubes.

Et soudain, j'ai entendu la voix paniquée de Troy.

— C'était quoi, ça ?

— Quoi ?

Il a bondi vers la fenêtre, manquant me faire lâcher l'échantillon. Je l'ai suivi. Nous nous sommes accroupis et avons jeté un coup d'œil dehors. Je ne voyais rien, à part le halo des réverbères au loin.

— Qu'est-ce qu'il y a ?

— C'était peut-être mon imagination, mais j'ai cru voir…

C'est alors que je les ai aperçues, moi aussi. Des torches. Des torches qui se dirigeaient vers nous. Pas des petites comme celles que nous avions sur nos portables, mais des grosses, du genre utilisées par…

— C'est mon père ! a dit Troy, entre le cri et le chuchotement. Il faut se tirer d'ici !

Il n'a pas eu besoin de me le dire deux fois. On s'est précipités vers la porte, cognant la table au passage. Des éprouvettes et des béchers se sont fracassés par terre. J'ai entendu une voix crier. Une voix d'adulte.

Comme une voix de flic.

Troy est arrivé le premier à la porte, mais je le suivais de près. On a couru droit devant, en tentant de rester dans l'axe de la remise pour ne pas être vus. Troy a sauté derrière une grosse pierre, et j'ai fait de même. En haut de la côte, sur l'avenue Kasselton, j'ai distingué les gyrophares d'une voiture de police.

— Oh, merde !

— On se sépare, a dit Troy. Tu vas vers la forêt, et moi je passe derrière le YMCA pour rejoindre la rue. Si j'y arrive, je pourrai faire diversion.

L'idée semblait bonne. Je me suis élancé dans les bois. Dit comme ça, ça paraissait simple. Sauf qu'il faisait noir, la lumière des réverbères ne parvenant pas jusque-là. La troisième fois où j'ai mangé de l'écorce, j'ai été obligé de ralentir l'allure. Si je continuais à courir droit dans les arbres, j'allais finir assommé. J'ai donc commencé à avancer comme Frankenstein, les mains levées devant moi.

— Police ! Arrêtez-vous !

Au son de cette voix, j'ai plongé derrière un arbre

et risqué un coup d'œil. Deux flics – ou du moins deux torches – pénétraient dans la forêt. Avec leur lampe, ils ne risquaient pas de percuter des arbres et pouvaient progresser assez vite.

J'étais mal barré.

Mes excuses bidon – j'avais entendu quelqu'un appeler à l'aide, la serrure était déjà fracturée à notre arrivée – me sont revenues en mémoire, mais je me rendais compte qu'elles ne feraient que m'enfoncer encore plus. La femme chauve-souris ne pourrait rien pour moi cette fois, et, allez savoir pourquoi, je doutais que le père de Buck déclare que j'avais l'autorisation de forcer la porte de sa remise et de briser quelques béchers.

J'étais *très* mal barré.

Caché derrière mon arbre, je voyais danser les faisceaux des torches qui se rapprochaient.

Réfléchis, Mickey !

Les policiers avaient un avantage sur moi : ils pouvaient voir. J'avais un avantage sur eux : je pouvais me cacher. Mais seulement temporairement. Ils ne mettraient pas longtemps à me trouver. Si j'allumais ma propre torche, ils me verraient, mais, au moins, nous nous affronterions à armes égales.

Il y avait un autre élément à prendre en considération : les flics étaient peut-être armés, justement. D'un autre côté, on était à Kasselton, pas à Newark. Dans des villes comme la nôtre, les policiers ne font pas usage de leurs armes, surtout sur des suspects courant dans les bois.

J'ai donc allumé ma torche et je me suis élancé.

— Police ! Arrêtez-vous !

J'ignorais ce qui était le plus grave : entrer par

effraction dans une remise ou tenter d'échapper à la police. Quoi qu'il en soit, j'ai accéléré l'allure. Ils avançaient vite, mais j'allais plus vite qu'eux. En plus, je m'étais découvert un autre avantage. Je pouvais braquer ma torche devant moi le temps de me repérer, puis l'éteindre pour les embrouiller, avant de la rallumer plus loin.

Enfin, les arbres sont devenus plus clairsemés, alors que derrière moi les flics étaient encore en plein milieu des fourrés. Peu après, j'ai émergé dans une clairière derrière le centre commercial de Kasselton.

Bien.

Le parking était plein : encore mieux. Je me suis dépêché d'entrer chez Target, le plus grand magasin du centre, et j'ai trouvé un coin au rayon électroménager d'où je pouvais surveiller les deux issues. Si les policiers entraient d'un côté, je sortirais par l'autre ou me cacherais dans le vaste espace du magasin.

Mais aucun uniforme ne s'est montré.

Tout bien considéré, je n'étais qu'un ado qui avait peut-être pénétré dans un grand abri de jardin. Pas de quoi mobiliser le RAID.

Une demi-heure plus tard, j'ai traversé le centre commercial et je suis ressorti par le magasin Sears, de l'autre côté. Il n'y avait aucun policier en vue. J'ai pris la rue Hobart Gap pour rentrer à la maison, en me demandant ce que je devais faire.

Fallait-il envoyer un message à Troy ? Ça ne semblait pas très malin. S'il s'était fait prendre, les flics risquaient de s'apercevoir que nous étions de mèche. Mieux valait attendre qu'il me contacte. Mais le ferait-il ? En toute logique, il allait suivre le même raisonnement que moi et attendre.

J'ai essayé de faire le point sur ce que j'avais appris dans la remise des Schultz. Reprenons depuis le début : Troy avait vu Buck et son frère, Randy, qui d'après lui prenaient des stéroïdes, entrer dans cette remise avec des tubes à essais. Or il était clair que cet endroit abritait une sorte de laboratoire. Peut-être pour la fabrication de produits dopants ? Était-ce là que les frères Schultz bidouillaient leur... leur quoi ?... leur mixture ?

Ça ne collait pas. Buck était déjà incapable d'épeler le mot chimie, alors s'attaquer à des formules compliquées...

J'ai repensé aux échantillons d'urine.

J'ignore combien il y en avait dans ce placard – et j'espérais qu'aucun n'était tombé lorsque nous avions pris la fuite –, mais je ne voyais pas ce que Buck et Randy auraient pu faire avec.

Humm.

J'avais lu quelque part que les athlètes qui se dopaient utilisaient souvent l'urine des autres pour contourner le contrôle. Très simple : il suffisait de cacher un petit échantillon sur soi quand on allait passer le test et de le sortir une fois à l'intérieur des toilettes.

Était-ce l'explication ?

Possible. Sauf qu'au moins une centaine d'échantillons étaient entreposés dans cette remise. Et on ne subissait qu'un ou deux contrôles par an. Alors, pourquoi y en avait-il autant ?

Quelque chose m'échappait.

Cela dit, ça pouvait attendre. Le lendemain, je retournais sur l'île d'Adiona. Il y avait une piste à suivre là-bas, un lien entre cette île, la femme chauve-souris et le refuge Abeona, et peut-être même avec Luther et mon père. Alors d'accord, j'avais envie de découvrir pourquoi Troy avait été piégé et par qui, mais ce n'était pas ma priorité.

Sauf que…

Pris d'une inspiration, j'ai appelé Brandon Foley. Il a répondu à la troisième sonnerie.

— Qu'est-ce qui se passe ?

— Je ne suis pas très loin de chez toi. Tu es libre ?

— Bien sûr. N'importe quoi plutôt que de réviser mon contrôle de physique.

En m'approchant, j'ai entendu le bruit réconfortant d'un dribble. Brandon était dans son allée, en train de s'entraîner. En me voyant arriver, il m'a lancé le ballon. Je me suis arrêté et j'ai effectué un tir en suspension. *Swish.* Puis il m'a renvoyé le ballon – la « courtoisie » est un maître mot au basket –, et je l'ai gardé en main.

— Tu as ton portable ? ai-je demandé.

— Il est dans la maison. Pourquoi ?

— Je vais peut-être te demander d'envoyer un message à Troy.

— Pourquoi tu ne peux pas le faire avec le tien ?

— Parce que lui et moi…

— Oui ?

Là, je me suis ravisé. J'aimais bien Brandon. Vraiment. Mais de là à lui avouer que je venais de faire quelque chose d'illégal… Il était président du bureau des élèves et de tout un tas d'autres associations et prenait très au sérieux ses responsabilités de capitaine de l'équipe de basket.

Pouvais-je lui faire confiance ?

Bien sûr, c'était Brandon qui m'avait convaincu d'aider Troy, mais comment réagirait-il si je lui annonçais que je venais de commettre une effraction, suivie d'un délit de fuite ?

Irait-il me dénoncer ?

J'avais envisagé de lui demander de contacter Troy pour moi, afin qu'on ne puisse pas remonter jusqu'à mon téléphone, mais je n'étais plus sûr que ce soit une bonne idée.

— Lui et toi quoi ?

— Non, rien.

— Alors, pourquoi tu voulais me voir ?

En réalité, il ne pouvait pas grand-chose pour moi. Troy me contacterait peut-être, ou pas. Ça ne changeait rien. Brandon ne pouvait pas non plus m'aider à propos de l'effraction. Il ne saurait pas m'éclairer sur ces échantillons d'urine ni sur le reste de la situation.

Même si je lui faisais confiance, même si je croyais qu'il avait seulement à cœur l'intérêt de Troy et le mien, quelle était l'utilité de lui parler de tout ça ?

Réponse : aucune.

Il existait pourtant une clé – une personne susceptible de répondre à toutes mes questions relatives à cette remise, aux stéroïdes et au contrôle positif de Troy. On en revenait donc toujours à la même question : pourquoi Buck avait-il quitté Kasselton ?

Manifestement, une seule personne pourrait répondre.

Buck lui-même.

— Où est Buck ? ai-je demandé.

Brandon a paru surpris.

— Je te l'ai dit. Il est parti vivre avec sa mère.

— Où est-ce qu'elle habite ?

— Je ne sais plus. Quelque part dans le Maine ou le Massachusetts, je crois.

— Tu ne sais rien de plus que ça ?

— Je me souviens qu'il y allait souvent pendant l'été.

282

Puis Brandon a ajouté quelque chose qui changeait tout :

— Il faisait de la voile et il allait à la pêche sur cette île.

Pétrifié, j'ai serré le ballon si fort que j'aurais pu le faire éclater.

— Une île ?

— Oui, sa mère vit sur une île. Avec un nom bizarre comme Apollonia ou Adonis, un truc en A.

J'ai dégluti.

— Adiona ?

— Ouais, c'est ça. La mère de Buck vit sur l'île d'Adiona.

38

Ema et moi n'avons pratiquement pas échangé un mot pendant le trajet jusqu'à l'île d'Adiona.

La mer était un peu agitée, ce matin-là. Alors que nous nous tenions à la proue du ferry, j'ai regardé la peau blanche d'Ema rougir sous l'assaut des embruns. Elle s'en fichait. Moi aussi.

Nous avions cessé d'essayer d'assembler les pièces du puzzle. Il arrive un moment où il faut mettre de côté toutes les théories. Dans la salle de classe de Mme Friedman, il y a une affiche avec une citation de Sherlock Holmes. Je ne me souviens pas de la formulation exacte, mais ça dit en substance qu'on a tort de chercher à bâtir une théorie avant de disposer de tous les faits, parce qu'on en vient alors à déformer ceux dont on dispose pour les faire coller à la théorie, au lieu de l'inverse.

Nous n'avions plus aucune théorie.

Il nous fallait davantage de faits.

Le vent s'était levé, et tous les passagers s'étaient réfugiés dans la cabine, sauf nous. Nous regardions l'île émerger de la brume.

— Mickey ?

Le vent emportait ses mots, qui étaient presque inaudibles.

— Oui ?

— J'ai peur.

— Tout ira bien.

— J'adore quand tu es condescendant.

— J'essayais d'être réconfortant.

— C'est pareil. (Elle a levé les yeux vers moi.) Tu es mignon quand tu veux jouer au héros, mais je préférerais que tu sois simplement sincère, d'accord ?

J'ai passé un bras autour d'elle. Pour lui tenir chaud, rien de plus. Elle s'est rapprochée et a posé la tête contre ma poitrine. Nous sommes restés ainsi serrés l'un contre l'autre pendant que le ferry entrait dans le port. Quand nous avons accosté, j'ai perçu comme un changement dans l'atmosphère. Il y avait quelque chose de particulier dans l'air de cette île.

Une tension. De l'électricité.

Nous l'avons ressenti tous les deux.

J'ai retiré mon bras. Je n'avais pas eu de nouvelles de Troy et n'avais pas tenté de le joindre non plus. Spoon avait essayé de localiser l'endroit où vivait la mère de Buck, sans résultat. Mais c'était une petite île. Nous n'aurions sûrement pas de mal à trouver la maison.

Une autre chose me préoccupait davantage. Ema allait devoir affronter Jared Lowell en chair et en os, ce personnage jusqu'ici virtuel qui semblait l'avoir envoûtée.

Nous avons pris le même chemin que lors de ma première visite avec Rachel. Le vent faiblissait à mesure que nous rentrions dans les terres, mais il soufflait toujours.

— Tu te souviens de ce que m'a dit la femme chauve-souris ? m'a demandé Ema.

— Elle a dit plein de choses.

— Tout à la fin. Juste avant de monter dans cette voiture et de partir avec le Chauve.

Je m'en souvenais.

— Elle t'a demandé si tu aimais ce garçon.

— Elle ne l'a pas demandé. Elle l'a affirmé. Comme si elle savait.

— C'est vrai.

— Et tu te rappelles ce qu'elle a dit après ?

Cette phrase était gravée dans ma mémoire :

— Ça fera mal.

— Exact.

— Ensuite, tu lui as demandé ce qui ferait mal. Et elle a répondu : la vérité.

Nous approchions de l'endroit où vivait Jared. Si l'île nous avait paru tranquille la première fois, aujourd'hui, elle paraissait complètement désertée. Nous n'avions vu personne ni croisé aucune voiture depuis que nous avions quitté le port.

— Je crois que nous ne sommes plus très loin de cette vérité, a repris Ema.

Nous avons tourné dans la rue de Jared Lowell. Elle était vide, silencieuse. Je m'attendais presque à voir passer des virevoltants, ces plantes desséchées qu'on voit rouler dans les villes fantômes.

— C'est quelle maison ? m'a demandé Ema.

Je la lui ai montrée.

— OK.

— Tu veux que je t'attende ici ?

Elle a hésité une seconde.

— Non, viens avec moi.

— Tu es sûre ?

— Oui. Si ça doit faire mal, je préfère que tu sois là.

Nous avons remonté l'allée de béton craquelée, et j'ai frappé à la porte. Ema et moi avons remué les épaules, bougé la tête... tous ces petits gestes idiots qu'on fait quand on attend qu'une porte s'ouvre.

Au bout d'un instant, nous avons entendu des pas qui approchaient. J'ai lancé un dernier coup d'œil à Ema, qui m'a répondu par un sourire hésitant. La porte s'est ouverte.

Ce n'était pas Jared, mais sa mère.

Dès qu'elle m'a vu, elle a froncé les sourcils.

— Vous êtes déjà venu il y a quelques jours.

— Oui, madame.

— Qu'est-ce que vous voulez ?

Ses mots sonnaient comme une accusation.

— Nous sommes venus voir Jared.

— Qu'est-ce que vous lui voulez ?

Pris de court, je me suis tourné vers Ema.

— Nous sommes des amis à lui, a-t-elle expliqué.

— Du lycée Farnsworth ?

— Non, madame.

— D'où êtes-vous ?

— De Kasselton, dans le New Jersey, a répondu Ema.

La femme a paru horrifiée. Elle s'est penchée vers nous, les yeux écarquillés, montrant les dents comme un chien méchant.

— Allez-vous-en ! a-t-elle crié. Partez, et ne remettez jamais les pieds sur cette île !

Et elle a claqué la porte si fort qu'on a failli tomber à la renverse.

Ema et moi étions sidérés. Au bout d'un moment, elle a demandé :

— Qu'est-ce qui s'est passé ?

— Aucune idée.

— Tu as vu sa réaction quand elle a su d'où on venait ?

J'ai hoché la tête.

— Quel rapport ça peut avoir avec notre relation en ligne ?

— Même réponse.

— Tu n'en as aucune idée ?

— Exactement.

— Et maintenant, on fait quoi ? On essaie de trouver Buck ?

— Oui, ou alors... Tu as remarqué le club de tennis devant lequel on est passés ?

— Plutôt snob, hein ?

— Tu m'étonnes. Quand on est venus ici avec Rachel, Jared nous a dit qu'il devait aller travailler au club. Il y en a peut-être plusieurs sur cette île, mais...

— Non, c'est forcément celui-là. Regarde cette rue. C'est là que vivent les employés. Je parie que quatre-vingt-dix pour cent des gens qui y habitent travaillent dans ce club. Le problème, c'est nous. Toi, tu es en jean, et moi, j'ai oublié ma jupette blanche.

— Ne t'inquiète pas pour ça. J'ai un plan.

Nous avons redescendu la rue jusqu'à la grande route puis tourné à droite vers le club. J'avais craint qu'il y ait un vigile à l'entrée, mais non. Dans ce genre d'île, c'était inutile. Les vigiles servaient à éloigner la racaille. Ici, il n'y avait pas de racaille. Uniquement des propriétaires et du personnel.

Nous commencions à remonter l'allée du club quand un jeune homme en tenue de tennis, avec un pull noué autour du cou, s'est précipité vers nous.

— Je peux vous aider ?

— Non, merci, ai-je répondu. Ça va.

J'ai continué à marcher vers le club-house, espérant que Björn Borg nous laisserait tranquilles. Mais il nous a rattrapés :

— Euh, excusez-moi ?

— Oui.

— Qu'est-ce que vous faites ici ?

Moi qui pensais pouvoir fouiner un peu et, avec de la chance, localiser Jared, c'était raté.

— Je m'appelle Will. Et voici ma sœur, Grace.

Nous continuions à marcher tout en scrutant les alentours.

— Ah, très bien. Qu'est-ce que je peux faire pour vous ? Ce club a un code vestimentaire strict. Aucun de vous n'a la tenue requise.

— Nous sommes ici pour chercher un emploi, ai-je dit.

Björn paraissait agacé qu'on ne s'arrête pas.

— Je ne crois pas que nous embauchions en ce moment.

— Oh, c'est dommage, a dit Ema.

Nous étions arrivés à la porte du club-house, que j'ai poussée.

— Nous pourrions peut-être remplir un dossier de candidature. Pour garder une trace. Au cas où quelqu'un démissionnerait.

— Nous exigeons des références. Vous en avez ?

— Oui, bien sûr. (C'était le moment de tenter le coup.) Jared Lowell nous recommandera.

— Oh, a dit Björn, soudain tout sourires.

Sa physionomie entière a changé. Le nom de Jared était comme un sésame.

— Vous êtes des amis de Jared tous les deux ?

— Des amis proches.

— Ah, ça change tout.

— Il travaille ici aujourd'hui, non ?

— Non. En fait, je pensais que c'était la raison de votre présence.

— Ah bon ?

— Jared vient juste de partir prendre le ferry. Il devrait appareiller dans… (il a consulté sa montre) … dans un quart d'heure. Les formulaires de candidature sont là derrière. Si vous voulez bien vous asseoir sur…

Mais Ema et moi étions déjà ressortis et piquions un sprint dans l'allée. J'ai été surpris de voir Ema rester à ma hauteur – c'est ça, le pouvoir de la détermination.

Nous avions pourtant peu de temps. Même en courant à perdre haleine, nous n'arriverions pas avant que Jared ait embarqué sur le ferry.

Que faire ?

La réponse s'est imposée à moi : violer encore quelques lois.

— Par là, ai-je dit.

La population estivale ne dépassait pas deux cents personnes, ce qui signifiait qu'il ne devait pas y avoir beaucoup de délits ni beaucoup de forces de l'ordre. Les gens ne fermaient sûrement pas leur porte à clé.

Et n'attachaient sûrement pas leurs vélos.

Nous en avons trouvé deux dans une allée sur la droite. Sautant en selle, nous nous sommes mis à pédaler à toute vitesse. Trois minutes plus tard, nous avons aperçu Jared, assis sur un banc près du quai. Lorsqu'il nous a vus arriver, il a mis sa main en visière devant ses yeux pour se protéger du soleil et dit :

— Encore toi.

— Oui, et regarde qui j'amène.

Je me suis tourné vers Ema. Ce n'était sûrement pas l'image qu'elle voulait donner d'elle lors de sa première rencontre avec son « grand amour » – en sueur, haletante et échevelée –, mais une petite partie de moi (mon côté méprisable) en tirait un certain plaisir.

Ils se sont regardés. J'ai fait un pas en arrière.

— Salut, a-t-elle lancé.

— Salut.

Elle l'examinait si intensément qu'il a paru mal à l'aise.

— Je suis désolé, a dit Jared.

Ema n'a pas répondu. Elle a penché la tête, le considérant comme s'il s'agissait d'un spécimen bizarre.

— J'aurais dû te le dire, a-t-il repris.

— Me dire quoi ?

— Pardon ?

— Qu'est-ce que tu voulais me dire, Jared ?

Il s'est mis à danser d'un pied sur l'autre. Le ferry était arrivé, et les passagers commençaient à débarquer.

— Eh bien, j'aurais dû te dire que je ne voulais plus poursuivre notre correspondance.

Je m'attendais à la voir blessée ou même effondrée, mais au contraire, le fait de se retrouver face à lui paraissait lui donner une étrange force.

— Pourquoi tu ne l'as pas fait ?

— Pourquoi je ne te l'ai pas dit ?

— Oui, commençons par là.

— Je ne sais pas. (Il a haussé les épaules d'un mouvement exagéré.) En tout cas, ce n'était pas sympa de ma part. On en a parlé, ton ami et moi. J'avais l'intention de te contacter pour ça.

— Donc, tu voulais rompre avec moi ?

292

Il paraissait si embarrassé que j'avais presque de la peine pour lui.

— Euh… oui.

— Pourquoi ?

— Comment ça, pourquoi ?

— C'est quoi, ta couleur préférée ?

— Pardon ?

— Réponds juste à ma question. Quelle est ta couleur préférée ?

Jared a ouvert la bouche, mais aucun son n'en est sorti. Ema m'a regardé en secouant la tête.

— Ce n'est pas lui.

— Comment ça, ce n'est pas lui ?

— Fais-moi confiance, Mickey. Je l'ai su dès que je l'ai vu, et après trois secondes de conversation… (Elle s'est retournée vers lui.) Ce n'est pas avec toi que j'ai chatté, n'est-ce pas ?

— Quoi ? Bien sûr que si. Je suis Jared Lowell. Tu as vu ma page Facebook.

— OK, Jared, c'était ta page Facebook. Et apparemment, tu étais au courant. Mais ce n'était pas toi.

— Qu'est-ce que tu racontes ? (Il a essayé d'évacuer le sujet en riant, mais sans résultat.) Bien sûr, que c'est moi. Écoute, il s'est passé un truc entre nous. C'était chouette, d'accord, mais c'était virtuel.

— Vite : ta couleur préférée ?

— Euh, le bleu.

— Ton plat préféré ?

— La pizza.

— Ton endroit favori ?

— La crique secrète sur la côte ouest de cette île.

Le visage d'Ema a perdu toutes couleurs.

— Oh, non…

— Qu'est-ce qu'il y a ? ai-je demandé.

— Il a bon à la dernière.

— Et alors ? (J'étais un peu perdu.) Peut-être que tu te trompes. Peut-être que c'est…

— Il a faux sur la couleur et sur le plat préférés. Tu ne comprends pas ?

Jared a fait mine de s'en aller.

— Désolé, mais j'ai un ferry à prendre.

J'ai posé une main sur son torse.

— Tu ne vas nulle part.

Il a baissé les yeux vers ma main.

— C'est une blague ?

— Tu ne bouges pas, Jared.

— Pour qui tu te…

— Stop.

Il a entendu mon ton, levé les mains, et il est resté où il était. Ema s'est pliée en deux comme si elle venait de recevoir un coup de poing dans l'estomac.

— Ema ?

— Tu n'as pas compris ?

— Compris quoi ?

— Son endroit préféré. Il se trouve sur cette île.

— Et alors ?

— Alors, si ce n'était pas lui… qui connaît-on d'autre qui fréquente cette île ?

Cette fois, c'est moi qui étais sous le choc.

— Non !... Ce n'est pas possible.

— Il n'y a pas d'autre possibilité, a dit Ema. C'était Buck. C'est avec Buck que j'ai chatté.

39

Assis entre Ema et moi, Jared avait la tête baissée, enfouie dans ses mains.

— Au départ, c'était une blague, a-t-il expliqué. L'idée ne me plaisait pas, et je ne voulais pas y participer.

Ema avait le regard lointain. Perdue dans ses pensées, elle devait essayer d'encaisser la nouvelle : elle qui avait été si sûre de la sincérité de leurs échanges venait d'apprendre qu'il s'agissait en fait d'une ruse de son vieil ennemi.

— Donc, tu connais Buck, ai-je dit.

— Oui.

— Comment ?

— C'est mon cousin. Nos mères sont sœurs. Elles ont grandi sur cette île. Quand tante Ina a rencontré oncle Boris, elle est partie vivre à Kasselton. Ma famille est restée ici. Buck et moi avons passé tous nos étés ensemble. Après son divorce, tante Ina est revenue.

Je n'aurais su dire si Ema l'écoutait ou pas.

— Que s'est-il passé ?

— Buck savait que je n'utilisais presque jamais

mon compte Facebook. Je n'aime pas trop les réseaux sociaux. Un jour, il m'a demandé s'il pouvait l'utiliser pour se venger de quelqu'un. Je n'étais pas très chaud, mais il m'a dit qu'une fille lui avait donné un surnom et s'était mise à l'appeler le Pisseux.

— Petit Pisseux, ai-je corrigé.

Ema m'a lancé un regard, auquel j'ai répondu en haussant les épaules. L'accusation était tirée par les cheveux. Un jour où Buck nous harcelait, Ema avait répliqué en inventant qu'il se faisait surnommer Petit Pisseux autrefois. Pas de quoi fouetter un chat, franchement.

— Bref, Buck prétendait que le surnom risquait de lui coller à la peau et qu'au lycée certains l'appelaient déjà comme ça. Il m'a dit que mon profil était parfait parce que Ema avait déjà craqué pour un joueur de basket.

Aucun de nous trois n'a jugé utile de commenter l'évidence.

— En fait, Buck avait découvert que ta mère était quelqu'un de célèbre, donc il est allé sur ce forum et a commencé à communiquer avec toi. Je ne sais pas exactement ce qu'il espérait. Que tu lui raconterais des trucs intimes, ou alors que tu tomberais amoureuse de lui et qu'il te jetterait méchamment après. Je n'en sais rien.

— Mais tu viens de le dire, a fait remarquer Ema.

— Pardon ?

Une larme s'est formée au coin de son œil.

— Je suis tombée amoureuse de lui et il m'a jetée méchamment.

Jared a fermé les yeux et lâché un long soupir.

— Non, Ema, ce n'est pas ce qui s'est passé. (Il

s'est levé et s'est mis à faire les cent pas en se grattant le menton.) Je ne sais pas quoi te dire d'autre.

— Elle a le droit de connaître la vérité, suis-je intervenu.

Un sourire triste est passé sur le visage de Jared.

— Si seulement c'était aussi simple…

— Raconte.

Il s'est arrêté de marcher.

— C'est l'inverse qui est arrivé, en fait.

— C'est-à-dire ?

— Buck a craqué pour toi.

Ema m'a regardé, mais je n'avais rien à ajouter.

— Il a complètement craqué. Il faut comprendre. Vous ne le connaissiez pas vraiment. Je sais… c'est compliqué. Buck adorait cette île. Ici, il pouvait être lui-même. Il était détendu, heureux, et c'était vraiment un gars adorable.

J'ai essayé de me le représenter sous les traits d'un ado sympa, mais c'était peine perdue.

— Ce n'est pas le mec qu'on connaît.

— C'est exactement ce que j'essaie de vous expliquer. Votre ville, Kasselton, avec tous les gens qui s'y croient, la pression pour réussir et intégrer les bonnes universités, ça le rendait dingue. Il ne le supportait pas. Il devait toujours faire semblant d'être quelqu'un qu'il n'était pas pour rester dans la course.

J'ai songé à tout ça, à l'esprit de compétition qui régnait dans cette ville, aux parents trop exigeants, obsédés par les bonnes notes, par la réussite sportive, toujours là à hurler au bord du terrain pour pousser leurs enfants – dans le cas de Buck, il fallait ajouter la comparaison permanente avec un frère champion de foot et la menace de perdre sa place de titulaire.

— Mais avec toi, a poursuivi Jared en s'approchant d'Ema, il a eu l'impression de s'être trouvé. Tu étais tellement vraie. Tu te fichais de ce que les autres pensaient de toi, et c'est quelque chose qu'il t'enviait. Au fur et à mesure qu'il dialoguait avec toi, il a commencé à s'ouvrir. Il pouvait être lui-même, en se faisant passer pour moi.

Ema avait les larmes aux yeux, et Jared aussi.

— Alors, qu'est-ce qui est arrivé ?

— Buck était paumé. Il se sentait pris au piège, comme si on le tirait dans plusieurs directions différentes. Il avait peur.

— De quoi ?

— De tout. Il voulait te dire la vérité, mais il craignait ta réaction. Il se demandait si tu allais le détester une fois que tu aurais appris qu'il t'avait menti et si tu lui pardonnerais tout le passé. Il pensait que tu le rejetterais.

Ma récente conversation avec Ema au sujet de Troy m'est revenue en mémoire. Je lui avais dit que les gens pouvaient changer, mais elle n'était pas convaincue.

— Il se sentait coincé, a poursuivi Jared. Ça n'a l'air de rien maintenant, mais qu'auraient dit ses amis ? Il avait peur qu'ils le lâchent s'il leur révélait qu'il était tombé amoureux de toi. Ça peut paraître idiot, mais ces mecs-là, c'était toute sa vie. Il ne pouvait pas leur tourner le dos purement et simplement.

— Donc, a conclu Ema, il a flippé.

Jared n'a pas répondu.

— C'est ça, n'est-ce pas ?

— Le ferry est sur le point de partir. Il faut que j'y aille.

— Où est Buck ? ai-je demandé.

— Qu'est-ce que ça peut faire ? Il ne veut pas te voir, Ema. Ça ne suffit pas ? C'est terminé.

La sirène du ferry a retenti, appelant les retardataires.

Je me suis levé dans l'intention de bloquer Jared une nouvelle fois, mais Ema m'a fait signe de laisser tomber. Elle avait raison : il avait dit ce qu'il avait à dire.

— Vous devriez venir avec moi tous les deux.

— Pourquoi ?

— Vous n'avez plus rien à faire sur cette île.

Mais Ema a secoué la tête.

— Non.

— S'il te plaît, a-t-il insisté. Tout ce qui t'attend ici, c'est une nouvelle déception.

— C'est bon, a-t-elle répondu en se levant. Je suis prête à supporter une nouvelle déception.

40

Jared a embarqué sur le ferry juste avant l'appareillage. Ema et moi nous tenions côte à côte.

— On doit trouver Buck, a-t-elle dit.

— OK. Comment ?

— Par sa tante.

— La mère de Jared ? Tu as raison, elle m'a paru tout à fait prête à nous renseigner.

Mais Ema s'éloignait déjà.

— Allez, viens. Il faut aller rendre les vélos avant que quelqu'un s'aperçoive de leur disparition.

Nous avons donc parcouru le chemin en sens inverse et laissé les vélos dans l'allée où nous les avions « empruntés ». Il n'y avait pas âme qui vive. Alors que nous nous dirigions vers la maison de Jared Lowell, je n'ai pas pu m'empêcher de lui demander :

— Qu'est-ce que tu en penses ?

— Ce que je pense de quoi ?

— Du fait que c'était Buck. Que Buck soit tombé amoureux de toi.

Elle a gardé les yeux braqués sur la route.

— D'un côté, je sais que ce qui se passe sur Internet

n'est pas la vraie vie. Mais, d'un autre côté, ça a quelque chose de plus réel.

— Comment ça ?

— En ligne, on se trouve un peu hors du monde, sans pression extérieure. Buck n'avait pas à s'inquiéter d'être dans l'ombre de son frère. Il n'avait pas à craindre les moqueries de Troy et de leurs potes parce qu'il m'aimait bien.

— Qu'est-ce que tu essaies de me dire ? Que tu as vu le vrai Buck ?

— Peut-être.

— Et ?

— Et j'ai complètement craqué.

J'ai secoué la tête.

— Pour Buck ?

— Ce n'est pas toi qui m'as dit que les gens pouvaient changer ?

— Et ce n'est pas toi qui m'as dit le contraire ?

— Bien vu.

Ema a accéléré l'allure, mettant un terme à la discussion. Soudain, à environ cinquante mètres de la rue de Jared, elle a plongé derrière un arbre et m'a fait signe de me cacher. Comme c'était le seul arbre alentour, je l'ai rejointe.

— Qu'y a-t-il ?

Elle a montré la route.

— Tu vois la femme avec le panier à provisions ?

J'ai jeté un rapide coup d'œil.

— C'est la mère de Buck. Je l'ai déjà aperçue plusieurs fois au bahut.

La femme a tourné pour s'engager dans la rue de Jared. Dès qu'elle est sortie de notre champ de vision, nous nous sommes dépêchés d'avancer jusqu'au croisement.

— Elle ne me connaît pas, ai-je dit. Je peux la suivre.

Mais c'était inutile. La mère de Buck a remonté une allée à gauche, sorti des clés et ouvert la porte d'une maison.

À côté de celle de Jared.

— Les deux sœurs sont voisines.

— Ce n'est pas illogique.

— Et maintenant, qu'est-ce qu'on fait ?

Ema s'est mise à se ronger un ongle au verni noir. Cette île commençait vraiment à m'angoisser. C'était peut-être dû à son nom, Adiona (idiot, vous pensez ?). L'espace d'un instant, j'aurais voulu qu'on écoute le conseil de Jared Lowell et qu'on quitte cette fichue île. J'ignorais où était Buck et ce qu'il faisait. Je m'en foutais. Je voulais rentrer. Pour moi et, surtout, pour Ema.

Jared lui avait dit qu'elle allait au-devant d'une nouvelle déception. La femme chauve-souris avait affirmé que la réponse lui ferait du mal. Je ne voulais pas qu'Ema souffre. Je n'avais pas voulu non plus qu'il arrive malheur à Rachel ou Spoon, mais la vérité, c'est que depuis que j'étais entré dans leur vie, ils avaient tous pris des coups violents. Rachel s'était fait tirer dessus et avait perdu sa mère. Spoon s'était fait tirer dessus et se retrouvait paralysé dans un lit d'hôpital.

S'il arrivait quoi que ce soit à Ema…

— Je vais aller frapper à cette porte, a-t-elle dit.

— Je viens avec toi.

— Non. Pas cette fois, Mickey. Fais-moi confiance, OK ?

Je l'ai regardée avancer jusqu'à la maison, lever le poing, hésiter une seconde puis frapper. Le temps a alors semblé s'arrêter. Après ce qui m'a paru une éternité, la porte s'est ouverte. Quand la mère de Buck a vu sa visiteuse, elle a porté la main à sa bouche, comme pour étouffer un cri.

Ema a fait un pas en avant.

— Je suis…

— Tu es Ema, a terminé la mère de Buck.

— Oui. Comment savez-vous… ?

Elle a ouvert la porte en grand.

— Entre, je t'en prie.

41

Cette fois, le temps ne s'est pas arrêté, il est juste passé très, très lentement.

Pendant les dix premières minutes, je suis resté assis sur le trottoir, face à la maison. Pour chasser ma nervosité grandissante, je me suis levé et j'ai fait les cent pas d'un côté de la rue, puis dans l'autre sens, espérant apercevoir quelque chose – n'importe quoi – par les fenêtres.

Mais il n'y avait rien à voir.

Dix minutes se sont encore écoulées. Puis dix autres. Plusieurs personnes sont passées devant moi, me lançant des coups d'œil soupçonneux. Pour eux, je n'avais rien à faire ici. C'était une toute petite rue sur une toute petite île. En général, les touristes ne s'y attardaient pas.

L'attente se prolongeait.

Qu'est-ce qui se tramait là-dedans ?

J'ai arrêté de regarder l'heure pour lever la tête vers le ciel. Les yeux fermés, j'ai laissé le soleil me caresser le visage. J'ai cessé de penser à Ema et à Buck. Au contrôle antidopage de Troy. Et même à mon Boucher de Łódź personnel.

Je pensais à mon père et à ma mère.

On entend souvent dire qu'on n'a qu'une seule vie – qu'il n'y a pas de répétition en costume. C'était vrai. Mais moi, je le ressentais d'une manière particulièrement aiguë. Ce qu'on fait à l'instant même, c'est la vie. Ce moment, comme tous les autres moments, influence et construit les suivants. Je pouvais penser à l'époque où mon père était en vie et ma mère *clean*. Je pouvais rêver que je remontais le temps pour revenir à cette époque-là et la changer, mais ça n'arriverait jamais.

Le temps n'avance que dans un sens.

Mon portable a sonné. Voyant que c'était Myron, j'ai eu la tentation d'ignorer l'appel, mais j'ai décidé de répondre.

— Salut, Myron. Il faut que je te demande quelque chose.

— Où es-tu ?

— Peu importe. Pourquoi Randy Schultz a-t-il besoin de ton aide ?

— Je te l'ai déjà dit : je ne peux pas t'en parler.

— Est-ce que c'est une histoire de dopage ?

Silence.

— Parce que je sais que Buck prenait des stéroïdes. Et je sais que Randy en vend. Est-ce qu'il s'est fait prendre ? C'est pour ça qu'il avait besoin de ton aide ? Et c'est pour ça que tu as refusé ?

— Mickey ?

— Oui ?

— Où es-tu ?

— J'ai raison, hein ?

— Encore une fois, je ne peux pas t'en parler. Je suis soumis à une clause de confidentialité. Où es-tu, Mickey ?

La porte de la maison de Buck a fini par s'ouvrir.

— On en parle ce soir, ai-je dit, et j'ai coupé la communication avant que mon oncle puisse ajouter quoi que ce soit.

Avez-vous déjà vu un de ces films d'horreur dans lesquels un personnage entre dans une maison et en ressort complètement différent – transformé en zombie, ou avec les cheveux tout gris, ou soudain possédé ? Comme si, en passant un seuil, il avait été métamorphosé en autre chose ?

Voilà ce que j'ai pensé en regardant Ema.

Elle était toujours habillée de la même façon. Elle portait les mêmes tatouages. Ses bijoux argentés brillaient autant qu'avant. Et pourtant, on aurait dit quelqu'un d'autre. Je me rends compte que ça paraît dingue. Myron m'avait raconté que, quand mon père avait à peu près mon âge, il avait pénétré dans la maison de la femme chauve-souris et en était ressorti transformé. Là, c'était pareil : on aurait dit qu'Ema était entrée dans l'armoire magique menant au monde de Narnia.

Un secret semblait lui avoir été révélé, une maturité nouvelle se lisait sur son visage.

Elle paraissait avoir grandi.

Ou alors, après tout ce que j'avais vu dans cette île de fous, je faisais une méga-projection.

Il m'a semblé qu'elle flottait plus qu'elle ne marchait vers moi. Elle gardait la tête haute, mais son regard n'a pas rencontré le mien comme il le faisait toujours. Elle a continué à marcher en regardant droit devant elle.

— Ema ?

— On s'en va, a-t-elle dit, et même sa voix paraissait plus posée. On peut encore attraper le prochain ferry.

— Attends ! Qu'est-ce qui s'est passé là-dedans ?

Elle a poursuivi sa route sans répondre.

— Ema ?

— C'est fini, a-t-elle dit.

— Qu'est-ce qui est fini ?

— Viens, je ne veux pas qu'on rate ce bateau.

— Qu'est-ce que tu entends par « C'est fini » ?

Elle avançait de plus en plus vite, comme pour mettre de la distance entre cette maison et elle.

— Tu as parlé à Buck ?

J'ai posé la main sur son bras, mais elle s'est dégagée. En désespoir de cause, je me suis placé devant elle, lui bloquant le passage. Et j'ai essayé de prendre la voix la plus douce possible.

— Que s'est-il passé à l'intérieur ?

— Je ne peux pas te le dire.

— Comment ça, tu ne peux pas me le dire ?

— J'ai promis.

Elle m'a repoussé pour continuer sa route.

— Tu te fiches de moi ?

— Non.

— Si, c'est forcément une blague, ai-je dit, ce qui était parfaitement idiot vu que je savais qu'elle ne plaisantait pas et que ce n'était pas un sujet de plaisanterie.

— Tu te souviens que tu ne pouvais pas me dire qui avait tiré sur Rachel et sa mère ?

— Tu m'en veux encore à cause de ça ? Je te l'ai expliqué. Ce n'était pas à moi de te le dire.

Elle a levé la main.

— Tu te trompes.

— Ah bon ?

— Je ne t'en veux pas du tout. Je comprends, maintenant. J'utilise cet exemple pour que toi aussi tu comprennes. Je ne peux pas te le dire. J'ai fait une promesse.

— À Buck ?

— Peu importe, Mickey. Je ne peux pas te le dire.

Une fois encore, je me suis placé devant elle.

— Ce n'est pas la même chose. Buck n'est pas Rachel. J'ai fait tout ce chemin avec toi. Ça me concerne. Je veux savoir.

Ema a secoué la tête.

— Parfois, il vaut mieux ne pas savoir.

— Franchement, c'est à moi que tu dis ça ?

Elle s'est éloignée.

J'ai senti que je serrais les poings en criant :

— Je ne suis pas venu ici uniquement pour toi !

— Je sais.

— Je suis venu pour trouver Buck.

Elle a hoché la tête sans ralentir.

— Tu veux aider Troy.

— Je veux découvrir la vérité.

— Tu la découvriras bien assez tôt.

— Ce qui veut dire ?

Mais Ema n'a plus prononcé un mot. Ni sur la route. Ni sur le ferry. Ni dans le bus. Même pas pour me dire au revoir quand nos chemins se sont séparés à Kasselton.

— Laisse courir, a dit Spoon.

Rachel et moi nous étions retrouvés dans sa chambre d'hôpital, où je leur avais raconté ce qui s'était passé sur l'île d'Adiona.

— Comment veux-tu que je laisse courir ?

— Ema est quelqu'un d'exceptionnel, pas vrai ?

— Oui.

— Et tu lui fais confiance à cent pour cent ?

— Oui.

— Alors, pourquoi douter maintenant ? Elle a dit qu'il valait mieux que tu ne saches rien. Eh bien, devine quoi ? Il vaut mieux que tu ne saches rien.

J'ai cherché le regard de Rachel, qui s'est contentée de hausser les épaules. Spoon a remonté ses lunettes sur son nez. La femme chauve-souris avait dit qu'il était destiné à faire de grandes choses. J'ai alors repensé au tout début de l'histoire, le jour où il s'était présenté à moi en me proposant sa cuillère. Ç'avait été son idée de s'introduire dans les bureaux du lycée pour consulter les fichiers informatiques, son idée de fouiller le casier d'Ashley, son idée encore de pénétrer dans le lycée le soir où il s'était fait tirer dessus. C'était également lui qui nous avait dit d'aller au lycée Farnsworth, et deux fois sur l'île d'Adiona.

J'avais toujours cru que j'étais le meneur du groupe.

Mais je me trompais peut-être.

Comme s'il lisait dans mes pensées, Spoon a esquissé un petit mouvement de tête et dit :

— Laisse-lui du temps.

— Et maintenant, que fait-on ? a demandé Rachel.

— Rien, a répondu Spoon. Ema a dit que c'était fini, donc c'est fini.

J'ai secoué la tête.

— Je n'y crois pas.

— Moi non plus, a dit Spoon. Mais on ne peut pas forcer les choses. L'œuf doit éclore tout seul : on ne voudrait pas le briser pour qu'il s'ouvre. Tu comprends ?

Tout le monde autour de moi s'était mis à parler par énigmes.

— Si on a faim, on le casse, ai-je fait remarquer.

— Arrête de jouer avec mes métaphores, Mickey. Tu as ton entraînement de basket ? Alors, vas-y.

Il avait raison.

— En plus, a ajouté Rachel, j'ai appris la bonne nouvelle, donc ça va être sympa.

— Quelle bonne nouvelle ?

— Tu n'es pas au courant ?

— Non, quoi ?

— Le contrôle antidopage de Troy a été invalidé. Il réintègre l'équipe.

43

Je ne savais pas trop quoi penser de cette information.

Dans les vestiaires, l'humeur était joyeuse, même si Troy n'était pas là. Les gars se faisaient des *checks*, certains sont même venus me taper dans le dos en me remerciant.

J'essayais de comprendre ce qui me valait cet accueil.

Quand j'ai pénétré sur le terrain, j'ai repéré Troy en train de tirer dans son panier habituel, au milieu. Plusieurs joueurs l'entouraient et lui faisaient des passes. Troy est meneur ; c'est le plus petit des titulaires, mais il vise comme personne derrière la ligne des trois points. Il a mis quatre paniers d'affilée. Tous les autres ont applaudi et l'ont acclamé.

Quand je me suis avancé vers lui, il a souri.

— Mickey !

Il m'a passé le ballon, j'ai tiré et dit :

— Tu es de retour ?

J'aurais sans doute pu trouver plus percutant, mais c'était la première chose qui m'était venue.

— Comme tu le vois.

Il m'a tendu le poing pour que je le *checke*.

— Qu'est-ce qui s'est passé ? ai-je demandé. Enfin, comment… ?

Le coach Grady a alors donné un coup de sifflet.

— *Criss-cross* à trois ! a-t-il crié. Allez ! On a notre premier match amical mardi prochain. On se bouge !

Troy m'a encore gratifié de son sourire étincelant en disant :

— On en parle plus tard. Tu veux que je te ramène en voiture ?

— D'accord.

— OK, vieux, je te raconterai tout à ce moment-là. Maintenant, au boulot.

La séance d'entraînement a été super. L'équipe comptait pas mal de joueurs performants, mais Troy dominait les autres. Il avait l'expérience et le savoir-faire, et c'était un meneur-né sur le terrain. L'équipe était bien meilleure avec lui, il n'y avait aucun doute là-dessus. L'entraînement était aussi plus marrant. Tout était parfait.

À un détail près.

Brandon Foley semblait étonnamment silencieux.

— Ça va ? lui ai-je demandé pendant une pause hydratation.

— Très bien.

— C'est super, pour Troy.

— Ouais, a-t-il répondu, comme s'il crachait un bout de verre. Génial.

Ne sachant pas comment interpréter sa réaction, je n'ai pas insisté. Troy était de retour et, même si je n'y étais pour rien, mes coéquipiers appréciaient ce que j'avais fait. Certains ont même déclaré que j'avais été « injustement traité » et ont admiré la façon dont j'avais « fait front » malgré tout ça.

— L'équipe d'abord, m'a dit Danny Brown.

— L'équipe d'abord, ai-je acquiescé.

À la fin de la séance, le coach Grady a crié :

— OK, les gars, venez tous par ici !

Nous avons pris place sur les gradins, en vidant des bouteilles d'eau et en nous essuyant.

— Demain, l'entraînement aura lieu à 16 h 30, a annoncé le coach. Nous passerons la première demi-heure dans l'autre gymnase, avant de venir dans celui-ci.

Il a continué son petit discours en insistant sur divers points logistiques. Nous allions recevoir nos maillots lundi ; nous avions un match amical à West Orange mardi.

Puis il a fait une pause, avant d'en venir au cœur du sujet.

— Les contrôles antidopage de tous les sportifs du lycée de Kasselton ont été déclarés nuls. Peu importe la raison. Sachez seulement que nous procéderons à de nouveaux tests dans quinze jours. C'est tout pour aujourd'hui. Les jeunes, remettez-moi ce gymnase en ordre. Les autres, allez faire vos devoirs et vous reposer.

Par « les jeunes », le coach entendait les trois élèves de première et moi, le seul seconde. C'était à nous qu'incombaient les corvées de l'équipe. Certains auraient pu y voir une forme de bizutage, mais ce n'était pas exactement ça. Nous installions les bancs pour les réunions de l'équipe, balayions le parquet après l'entraînement, remettions les ballons dans les casiers.

Ce jour-là, Brandon nous a donné un coup de main. Il n'était pas obligé, mais c'était bien son genre. Pendant que nous rangions les ballons tous les deux, il m'a paru bizarre.

— Je pensais que tu serais content, ai-je dit.

— Pourquoi donc ?

— C'est toi qui trouvais qu'il était victime d'une injustice.

— C'est vrai.

Il a braqué son regard sur moi.

— Où étais-tu, hier soir ?

— Pardon ?

— Avant de passer chez moi, tu étais où ?

La veille, je n'avais eu aucune raison de lui avouer mon intrusion dans la remise des Schultz. J'en avais encore moins aujourd'hui.

— Nulle part. Pourquoi ?

— Tu sais pourquoi ils nous font repasser les tests ?

Je me suis mis à faire tourner un ballon au bout de mon doigt.

— Non.

— Parce que les premiers prélèvements ont été contaminés.

Le ballon est tombé par terre, et le bruit a résonné dans le gymnase silencieux.

— Comment ?

— Quelqu'un a pénétré dans le centre de stockage hier soir.

— Quel centre de stockage ?

— La ville a un local où sont stockés tous les échantillons pour les contrôles. Quelqu'un y est entré par effraction hier.

J'ai eu du mal à déglutir.

— Il est où, ce local ?

— Dans une remise à côté du stade. Derrière l'hôtel de ville.

J'ai eu soudain la sensation que mes bras et mes jambes avaient été coulés dans du béton.

— Je croyais que cette remise appartenait au père de Buck.

— Ah bon ? Non, c'est sur un terrain communal. Rien à voir avec Schultz. Elle appartient à la ville. C'est là qu'on conserve tous les prélèvements d'urine – ceux qui ont déjà été contrôlés, et les échantillons témoins. Mais quelqu'un a pénétré dans le local, et personne ne sait si des échantillons ont été intervertis, trafiqués ou autre. C'est pour ça que tous les résultats ont été invalidés.

Soudain pris de vertige, j'ai titubé en arrière. Je sentais le sang affluer à mon visage.

— On sait qui a commis l'effraction ?

— Non, mais d'après la police, c'était quelqu'un de grand.

Troy m'attendait dans sa voiture. Il affichait toujours son sourire étincelant, que je reconnaissais maintenant pour ce qu'il était. Rien à voir avec l'amitié. Rien à voir avec l'esprit d'équipe.

C'était le sourire de quelqu'un qui se moquait de moi.

Sa vitre était ouverte. J'ai plongé les deux mains à l'intérieur du véhicule, je l'ai attrapé par le col et l'ai extirpé sans ménagement.

— Qu'est-ce que tu… ?

— Tu t'es foutu de moi !

Troy n'a pas cherché à se défendre, gardant même son sourire de façade.

— Tu ne vas pas faire une scène devant tout le monde, Mickey.

— Tu n'as jamais vu Randy et Buck entrer dans cette remise.

— Où est ton portable ?

— Hein ?

— Je veux être sûr que tu n'enregistres pas. Monte dans la voiture et sors ton portable.

J'avais envie de lui coller mon poing dans la figure.

Il s'est dégagé, a ouvert sa portière et repris sa place au volant. Je ne savais pas quoi faire.

— Tu es sourd ? Monte, je t'ai dit.

J'ai contourné sa voiture de sport rouge et je suis monté côté passager.

— Montre-moi ton portable.

Je l'ai sorti et l'ai posé sur le tableau de bord. Il l'a examiné pour s'assurer que je n'enregistrais pas la conversation. J'aurais dû le faire, mais je n'avais pas les idées claires. Je m'étais laissé submerger par la colère. Il fallait que je me calme.

— Je me demande même si Randy est un dealer, ai-je dit.

— Oh, ça, c'est vrai, a répondu Troy. Où crois-tu que je me sois procuré les stéroïdes ?

Et voilà, c'était dit : il en avait pris. Et je l'avais aidé à s'en tirer – moi, le crétin qui affirmait que les gens pouvaient changer. Ema soutenait que c'était impossible. Normalement, j'apprécie l'ironie. Mais pas aujourd'hui.

— Je vais le dire aux coaches.

— Et tu vas leur dire quoi, exactement ?

— Qu'on a pénétré dans cette remise. Que je pensais...

Troy me souriait toujours.

— Réfléchis deux minutes. D'abord, tu sais que le stade a plusieurs caméras de surveillance, hein ?

— Et alors ?

— Alors, d'après le rapport de police, l'effraction a eu lieu à 21 h 15. Quand ils visionneront les bandes de surveillance, est-ce qu'ils me verront m'éloigner du stade en direction du labo ?

Nouveau sourire éclatant.

— Ou toi... tout seul ?

Je me suis souvenu qu'il m'attendait de l'autre côté de la rue, près du YMCA, et que je m'étais d'ailleurs demandé pourquoi.

— Ensuite, s'il leur prenait l'envie de vérifier mon alibi, ils s'apercevraient que je suis entré au YMCA pour faire de la muscu à 21 heures et que j'en suis ressorti un peu après 22 heures. Il faut passer sa carte magnétique pour entrer et sortir. Tout est informatisé. Évidemment, ils ne peuvent pas savoir que j'ai débranché l'alarme de la sortie de secours et que c'est par là que je suis passé pour aller te retrouver. Ils pourront seulement confirmer que je me trouvais au YMCA pendant tout ce temps.

J'étais frappé de stupeur.

— Enfin, il y a cette jolie petite vidéo que j'ai faite avec mon portable. Ne t'inquiète pas, j'ai plusieurs copies. En cas de besoin, je peux l'envoyer anonymement à la police ou même aux médias.

C'était un enregistrement de quelques secondes, me montrant à l'intérieur de la remise. Lorsqu'il était entré dans la pièce que j'inspectais, il avait braqué sa torche sur moi : sur le moment, je ne m'étais pas rendu compte que sa caméra filmait.

Tandis que je restais silencieux, sous le choc, Troy a démarré la voiture. Danny Brown et deux autres types sont passés. Troy leur a fait un signe. Pas moi.

— Ce sera ta parole contre la mienne, a-t-il repris, et toutes les preuves matérielles appuieront ma version des faits. Je parie que tu as laissé tes empreintes dans la remise, pas vrai ? Moi, j'ai pris la précaution de ne toucher à rien. Et pendant que tu t'enfuyais, je suis resté caché. Les policiers t'ont suivi. Ils savent que le suspect est grand, ce qui n'est pas vraiment mon cas.

Enfin, j'ai tenté une contre-offensive :

— Mais je n'ai pas de mobile.

— Bien sûr que si.

— Ah bon, lequel ?

— Tu voulais passer pour le grand héros. Tu étais prêt à tout pour que je réintègre l'équipe. Tu es le nouveau un peu largué, sans amis, et tu as cru pouvoir te faire mousser devant le groupe.

J'ai secoué la tête. Comment avais-je pu ne rien voir venir ? Mais je connaissais la réponse. Troy, à sa manière horrible, avait visé juste. Je voulais être intégré. Ema m'avait pourtant mis en garde, mais je n'avais pas voulu l'écouter. Je voulais qu'on m'aime. Je voulais faire partie de l'équipe. Je voulais que Troy soit innocenté parce que ça servait mes intérêts. Et même être celui qui l'innocenterait – le grand héros, selon son expression.

Pour finir, Troy était coupable. Il avait triché et menti et se tenait maintenant à côté de moi, son sourire horripilant aux lèvres.

— Alors, vas-y, Mickey, dénonce-moi. Mais avant, pèse bien le pour et le contre. Même si quelqu'un te croyait, en dépit de toutes les preuves matérielles en ma possession, qu'est-ce qui se passerait ? Au mieux, on se ferait tous les deux virer de l'équipe. Parce que tu es tout de même entré par effraction dans cette remise, et ça, tu ne pourras pas le nier.

— Ouah… Tu as vraiment pensé à tout.

— Ce n'est pas pour me vanter, mais oui.

J'étais coincé. J'avais beau chercher un moyen de me sortir de l'impasse, je n'en trouvais aucun.

— Mais essaie de voir le bon côté des choses.

Comme je ne disais rien, il a développé :

— Nous sommes coéquipiers, maintenant. Tu as vu notre niveau ? On va gagner le championnat de l'État. Et depuis que tu as ma bénédiction, toute l'équipe t'adore. On va remporter des tas de matchs ensemble. On va aller très loin. L'année prochaine, j'entrerai dans une des meilleures facs, et toi, tu seras le nouveau leader de l'équipe.

Troy s'est arrêté devant la maison de Myron et s'est penché pour m'ouvrir la portière.

— Fais pas cette tête, Mickey. Cool. Tout va bien. On se voit demain à l'entraînement, OK ?

45

J'ai envoyé un SMS à Ema. Pas de réponse. Je l'ai appelée. Pas de réponse.

Assis à la table de la cuisine, je ruminais. Ne m'avait-elle pas dit qu'elle serait là quand tout m'exploserait à la figure ? Elle avait tout anticipé. Elle avait essayé de me faire voir la vraie nature de Troy, mais j'avais refusé d'ouvrir les yeux. Elle savait que je devais commettre une grosse erreur comme celle-là et que je souffrirais. Comment avait-elle dit, déjà ?

Je voudrais te protéger de la douleur, mais c'est impossible. Tout ce que je peux te dire, c'est que quand tu auras mal, je serai là pour toi.

Puis elle avait ajouté : *Toujours.*

— Alors, tu es où, là ? ai-je dit tout haut.

Une heure plus tard, Myron est rentré. En voyant ma tête, il m'a demandé :

— Que se passe-t-il ?

Je n'étais pas autorisé à lui parler d'Abeona, ça faisait partie des règles. Lizzy Sobek et Dylan Shaykes avaient été catégoriques. Mais je pouvais lui parler de Troy, lui raconter comment mon désir d'appartenir à une équipe m'avait mené au désastre.

Il m'a écouté avec patience et a même fait preuve d'empathie. À la fin, il ne m'a posé qu'une question simple :

— Sais-tu ce que tu vas faire ?

Question à laquelle j'ai apporté une réponse simple :

— Non.

— Bon. Tu y verras plus clair après une nuit de sommeil. Ou plutôt, une nuit sans sommeil.

— Tu as raison, je ne vais sûrement pas beaucoup dormir.

— Ne sois pas trop dur envers toi-même. Tu as fait une erreur. Ça arrive à tout le monde.

— Même à toi.

Ce n'était pas une question.

— Oui, moi aussi, j'ai fait une erreur. Je croyais aider ton père, autrefois. Pour finir, je l'ai fait fuir. Et, oui, je sais que, si je n'avais pas agi de cette façon, il serait encore en vie aujourd'hui. Ce fantôme m'accompagne en permanence. Et ton père n'est pas mon seul fantôme. Il y en a beaucoup d'autres qui ne me laissent pas en paix.

— Myron ?

— Oui ?

— Comment tu arrives à vivre avec ça ?

— Avec ces fantômes ?

— Oui. Comment fais-tu pour vivre avec eux ?

— On n'a pas le choix. Comment veux-tu faire autrement ?

— C'est tout ? C'est ça, ta réponse ?

— En grande partie, oui. Et j'essaie de me souvenir que ces erreurs que j'ai faites n'étaient que cela : des erreurs. Je n'ai jamais voulu faire de tort à personne. Parfois, on cherche à faire le bien, et le mal finit tout de même par l'emporter. C'est ce que je m'efforce de garder à l'esprit. Et aussi que, même si on perd une bataille, ce qui compte, c'est l'issue de la guerre.

— Ce qui veut dire ?

— Ce qui veut dire que, tout bien pesé, j'ai fait plus de bien que de mal. J'ai aidé plus de gens que je n'en ai blessé. On est la somme de notre vie, pas seulement une partie.

Comme il commençait à s'éloigner, je l'ai rappelé :

— Myron ? Papa n'aurait pas voulu que tu culpabilises.

— Je sais. Et ça rend les choses encore plus difficiles.

46

Je n'ai pas dormi. Mais tout cela n'aurait bientôt plus d'importance.

En réalité, même ce que Troy Taylor m'avait fait n'aurait plus d'importance.

Rompu de fatigue, j'étais en proie à une sorte de délire. J'ai vu le sourire moqueur de Troy. Puis j'ai vu le sourire moqueur de Luther. Par moments, les deux sourires se superposaient. À d'autres, l'un des visages se transformait en l'autre.

Luther et Troy. Mes ennemis. Mes Bouchers.

À 6 heures du matin, alors que j'étais toujours couché, le téléphone a sonné. *Trop tôt*, ai-je pensé.

Quelques minutes plus tard, j'ai entendu la porte du sous-sol s'ouvrir et les pas de Myron qui descendait lentement les marches. En voyant sa tête, je me suis redressé : on aurait dit qu'il venait de recevoir un coup de poing dans le ventre.

— C'était qui, au téléphone ? ai-je demandé.

— Le père de Buck.

— Qu'est-ce qui se passe ?

Myron a dégluti.

— C'est Buck.
— Qu'est-ce qu'il a ?
— Il est mort.

Comme je ne voulais pas perdre une minute, j'ai demandé à Myron de me conduire chez Ema.

— Elle était proche de Buck ? m'a-t-il demandé.

Voyant ma tête, il a attrapé ses clés de voiture sans insister. Sur le chemin, il m'a mis au courant des détails, mais ils me parvenaient comme à travers un brouillard. Le corps de Buck avait été découvert, enterré dans les bois, non loin de la salle de sport de son père. La nouvelle n'avait pas encore été transmise à la presse. Myron avait été prévenu en sa « qualité professionnelle ».

Allez savoir ce qu'il entendait par là.

Lorsque nous sommes arrivés, le portail flanqué des deux têtes de lion était ouvert : Myron avait déjà appelé Angelica Wyatt. Nous avons pénétré dans la propriété et nous nous sommes engagés dans la longue allée qui serpentait le long de la colline.

— La cause du décès est encore inconnue, a dit Myron.

— Mais il a été tué, non ?

— Je ne crois pas.

La silhouette de l'énorme manoir se profilait devant nous.

— Tu viens de me dire qu'on l'avait enterré dans les bois. Comment aurait-il pu ne pas être assassiné ?

Il n'a pas répondu. Ou alors, je n'ai pas attendu assez longtemps pour obtenir la réponse. Nous étions arrivés.

— Reste là, ai-je dit en m'éjectant de la voiture.

Avant même que j'aie frappé à la porte, Angelica Wyatt l'avait ouverte. J'ai hésité une seconde. C'est fou, l'effet que produit la célébrité. Je ne l'avais rencontrée que deux ou trois fois, et le fait de me retrouver face à elle en chair et en os, après l'avoir vue pendant tant d'années à l'écran, me procurait encore une sensation d'irréalité.

Bras croisés, elle me bloquait le passage.

— Que se passe-t-il ?

— Il faut que je parle à Ema.

— Qu'est-ce que vous avez fait, tous les deux ?

— Rien. Si je pouvais seulement…

— Elle pleure depuis qu'elle est rentrée à la maison.

Ça m'a un peu ralenti.

— Elle pleure ?

— Elle a pleuré toute la nuit. Elle refuse de nous dire un mot, à Niles ou à moi. Elle… (Ses yeux se sont embués aussi.) Elle est inconsolable.

— Est-ce qu'elle est au courant ?

— Au courant de quoi ?

— S'il vous plaît, il faut que je lui parle. Où est-elle ?

— Au sous-sol.

Cette fois, je n'ai pas hésité. Je connaissais le chemin. J'ai couru vers la cuisine, glissant presque sur le sol de marbre, et tourné à droite pour trouver la porte du sous-sol. Sans prendre la peine de frapper, je me suis engagé dans l'escalier.

— Ema ?

La pièce était plongée dans le noir. Les appliques au-dessus des affiches d'Angelica Wyatt ne dispensaient qu'une faible lumière. Mais j'ai entendu ses pleurs.

Ema était assise dans un Sacco. Dès que je me suis approché d'elle, elle a levé la main.

— Non.

Puis j'ai croisé son regard. Des larmes coulaient encore sur ses joues, qu'elle n'a pas essuyées. L'épais maquillage avait disparu, le rouge à lèvres noir, les tatouages temporaires. Ema paraissait soudain très jeune. Très jeune, vulnérable et... belle. D'une beauté que je remarquais vraiment pour la première fois.

— J'ai quelque chose à te dire, ai-je commencé.

— Vas-y. Dis-le-moi de là où tu es.

J'ai pris une profonde inspiration. N'ayant jamais eu à annoncer une nouvelle aussi terrible à quelqu'un, je n'étais pas très au fait du protocole, mais comme Ema pleurait déjà, j'y suis allé franco.

— C'est Buck, ai-je dit. Il est mort.

J'avais imaginé qu'elle se remettrait à pleurer, mais non. Elle s'est levée et a lancé :

— Merci de m'avoir avertie.

J'ai attendu.

— C'est tout ?

Elle n'a pas desserré les lèvres.

— Tu as pleuré.

— Tu es tellement perspicace, Mickey.

J'ai perçu une pointe de colère dans sa voix.

— Pourquoi as-tu pleuré ?

Une fois encore, elle n'a pas répondu. Mais c'était inutile : la réponse était évidente.

— Tu savais déjà. Mais comment ? On vient juste de retrouver son corps. La presse... La mère de Buck te l'a dit, c'est ça ?

— Elle savait qui j'étais. Elle a retrouvé les e-mails que Buck m'avait envoyés. Elle savait ce que je représentais pour lui. Et lui pour moi.

— Je ne comprends pas.

— Elle m'a dit qu'elle ne voulait pas que je vive sans connaître la vérité. Ou en pensant que Buck m'avait larguée sans aucun égard. Mais je ne crois pas que ce soit la vraie raison. Je pense qu'elle avait besoin de se confier à quelqu'un. Et elle m'a fait jurer de ne jamais en parler.

— Et tu as accepté ?

— J'ai accepté.

— C'est pour ça que tu ne me l'as pas dit hier ?

— Non, ça n'a rien à voir.

— Mais tu m'as dit... Attends, qu'est-ce qu'elle t'a raconté, exactement ?

— Elle m'a expliqué que Buck était sous pression. En partie à cause de ton copain Troy. Il se sentait obligé de devenir plus grand et plus costaud. Donc, il prenait des stéroïdes. Beaucoup. Puis on s'est rencontrés sur le forum... et il a commencé à changer. Mais, comme l'a dit Jared, il était encore écartelé entre ses deux mondes.

— Que lui est-il arrivé, Ema ? Comment est-il mort ?

— C'est son frère, Randy.

— Il l'a tué ?

— D'une certaine manière, oui. Randy s'imagine

comprendre le fonctionnement de ces drogues, sauf qu'en fait il ne maîtrise rien du tout. J'ignore si Buck a mal réagi à ces substances, ou s'il en a pris trop par accident. Ou s'il a fait exprès d'en prendre trop.

— Il a fait une overdose ?

Ses larmes coulaient maintenant sans retenue.

— Oui, il a fait une overdose. Il était seul, et il s'est injecté cette saloperie dans les veines...

— Mais son corps a été enterré dans les bois. Si c'était une overdose...

— Réfléchis, Mickey.

J'ai essayé, mais mon esprit restait vide.

— Le *draft* de la Ligue de football approchait. Randy était déjà sous le coup d'un contrôle antidopage positif. Si la nouvelle s'ébruitait, si on découvrait que Buck avait fait une overdose à cause de Randy...

J'ai secoué la tête, les yeux écarquillés.

— Des parents ne feraient jamais un truc pareil.

— Bien sûr que si. La mère de Buck me l'a dit d'une manière très claire. Buck était mort. Ils ne pouvaient plus rien faire pour lui. Ils avaient un autre fils, qui risquait de tout perdre. Il allait sans doute finir en prison pour trafic de stéroïdes, voire pour homicide. On était assises à la table de la cuisine, elle m'a regardée dans les yeux et m'a dit : « Nous avions perdu un fils, nous n'étions pas obligés d'en perdre un second. À quoi ça aurait servi de détruire aussi la vie de Randy ? »

J'avais du mal à y croire, même s'il y avait une espèce de logique, toute tordue et horrible qu'elle soit, dans ce raisonnement.

— Ils ont donc enterré le corps de Buck, ai-je dit, et inventé cette histoire comme quoi il était parti vivre

chez sa mère. Qui irait le chercher sur cette île perdue ?
Et, dans le cas contraire, elle aurait toujours pu trouver
un prétexte pour justifier son absence.

Ema a hoché la tête.

— Ils n'avaient pas pensé à tout, mais elle envi-
sageait de partir à l'étranger et de raconter aux gens
que Buck et elle vivaient en Europe.

— C'est affreux.

— Et ç'aurait pu marcher. Ce qu'ils ont fait est
horrible, mais en même temps compréhensible. C'était
presque un acte d'amour. Ils n'avaient pas pu sauver
un de leurs enfants...

— ... ils ont donc essayé de sauver l'autre, ai-je
terminé à sa place.

J'ai repensé à ce que m'avait dit Myron, à propos
des erreurs qui avaient coûté la vie à mon père et
des fantômes qui aujourd'hui encore hantaient la vie
de mon oncle.

— Tout de même... comment peut-on vivre avec
un truc pareil ?

— Je ne suis pas sûre qu'elle en était capable.

— Qu'est-ce que tu penses ? Que te parler, c'était
une forme de confession ?

— Je crois qu'elle avait seulement besoin de se
confier à quelqu'un. Elle savait que j'étais attachée à
lui. Elle pensait peut-être même que j'étais amoureuse
de lui. C'est pour ça qu'elle m'a avoué la vérité en
me faisant jurer de ne rien dire.

Nous sommes restés là, à méditer sur cette histoire
douloureuse.

— Sauf que le corps de Buck a été retrouvé, ai-je
fait remarquer.

— Oui.

— Quelques heures après que tu as appris la vérité et juré de garder le secret.

— Oui.

— Une sacrée coïncidence.

— Ce n'est pas une coïncidence. Vois-tu, c'est quelque chose à quoi la mère de Buck n'a pas pensé.

— Quoi ?

— Elle aimait ses deux fils. Mais moi, je n'en aimais qu'un.

Un silence total s'est abattu sur la pièce.

— Tu as appelé la police ?

— Non. Quand on s'est séparés hier, je me suis arrêtée à la bibliothèque, où je leur ai envoyé un e-mail anonyme. Je leur ai dit où était enterré le corps de Buck et comment il était mort. Je leur ai dit la vérité. Avec les éléments que je leur ai donnés, ils vont assembler les pièces du puzzle.

J'ai entendu des voix à l'étage. Finalement, Myron était entré dans la maison et parlait avec la mère d'Ema. Ils se trouvaient juste au-dessus de nous. À des millions de kilomètres. En cet instant, dans ce sous-sol, il n'y avait qu'Ema et moi, et peut-être aussi le fantôme de cet adolescent qui n'était plus enterré seul dans les bois.

48

À midi, les médias s'étaient déjà emparés du scoop.

Les Schultz avaient été arrêtés, mais aucun d'eux n'avait été inculpé de meurtre. De quelle peine est-on passible pour avoir caché le cadavre d'un de ses enfants afin d'épargner des poursuites judiciaires à un autre ? Je l'ignorais, mais c'est ce qu'encouraient les parents de Buck. Lors de la perquisition de la maison, on avait trouvé des stéroïdes ainsi que d'autres substances prohibées dans la chambre de Randy. J'ignorais aussi quels chefs d'accusation avaient été retenus contre lui, mais ils devaient être nombreux.

Tout ce que je savais, c'était que, pour moi, l'affaire était terminée.

Sur ce point, bien sûr, je me trompais.

Une semaine plus tard, Myron et moi sommes allés à l'enterrement de Buck.

De retour à la maison, nous nous sommes assis dans la cuisine. Pendant un très long moment, nous sommes restés comme ça, dans nos costumes noirs, à regarder dans le vague sans échanger un mot. Buck était mort.

Je n'arrivais pas à y croire. L'aspect irrévocable de l'événement me dépassait encore.

— Si jeune, a commenté Myron en secouant la tête. Je sais qu'on te l'a déjà dit, Mickey, mais tu dois toujours faire attention. La vie peut être tellement fragile.

Le silence est retombé. J'ai desserré ma cravate. Du temps a passé. Je n'aurais su dire combien.

— Ça peut paraître dérisoire, maintenant, a repris Myron, mais as-tu décidé ce que tu allais faire à propos de Troy et de l'équipe de basket ?

— Je n'ai pas vraiment le choix.

Il a attendu la suite.

— Je vais dire la vérité au coach Grady.

— Tu seras exclu de l'équipe.

— Tant pis.

— Ce n'est pas la fin du monde.

Au regard de ce qui venait d'arriver, il avait raison, bien sûr. Mais ça n'en était pas moins douloureux.

— Et il y aura la saison prochaine.

C'était vrai, même si, pour l'instant, j'avais du mal à l'imaginer. Ou alors, nous pourrions aussi déménager. Et ma mère se remettrait peut-être. En tout cas, je ne pouvais pas laisser Troy s'en sortir aussi facilement. Tous nos entraînements et tous nos matchs seraient entachés. Il n'y aurait plus aucune joie. Voilà ce qui arrive quand on agit mal, quelle qu'en soit la raison.

Ça gâche tout.

Myron a ouvert le réfrigérateur et soupiré.

— Quoi ?

— On n'a plus de Yoo-hoo.

Mon oncle buvait ce soda au chocolat à la chaîne.

— Il y en a dans la cave, tu veux que j'aille en chercher ?

— Non, j'y vais.

Il s'est engagé dans l'escalier. Resté seul, je me suis approché de l'évier. La pièce était silencieuse. *Comme une tombe*, ai-je pensé.

C'était peut-être à cause de ça.

Je me suis mis à penser au silence. Plus spécifiquement, j'ai pensé à l'intensité du silence dans la cuisine en cet instant. En regardant notre frigo, j'ai repensé à celui de la femme chauve-souris, qui était très bruyant. Je me suis penché vers l'évier. À travers les canalisations, j'ai entendu Myron siffler une vieille chanson. Donc, c'était peut-être plutôt à cause de ça.

Myron a sifflé, et je me suis aperçu que je l'entendais faiblement à travers les tuyaux.

Ou alors, c'est parce que je me suis rendu compte que notre frigo était silencieux, et je me suis dit que, s'il avait été bruyant, comme celui de la femme chauve-souris, je n'aurais pas entendu ce faible sifflement.

Surtout si j'avais été vieux. Surtout si j'avais eu l'habitude d'écouter beaucoup de musique.

J'ai ressenti des fourmillements glacés dans ma nuque.

La femme chauve-souris avait aussi éteint la musique. C'est ce qu'elle m'avait dit. Elle avait éteint la musique afin d'entendre le réparateur frapper à la porte. Sa cuisine était silencieuse pour la première fois depuis des années.

Silencieuse. Comme la nôtre.

Sans le ronronnement du frigo. Sans musique.

Et c'est à ce moment-là qu'elle avait entendu le son étouffé de la voix de mon père.

De la même façon que j'entendais le son étouffé de celle de Myron.

Le fourmillement s'est accentué et répandu dans tout mon corps.

— Oh, putain !

Pris de panique, j'ai hurlé :

— Myron ! Myron !

Au ton de ma voix, il a remonté les marches quatre à quatre.

— Qu'est-ce qu'il y a ? Que se passe-t-il ?

— Est-ce que tu as une hache ?

— Une quoi ?

— Une hache ! Une hache !

— Dans le garage. Pourquoi ?

— Je te rejoins à la voiture.

— Où est-ce qu'on va ?

— Vite… dans la voiture !

49

Il faisait encore jour quand nous sommes arrivés devant les décombres de la maison de la femme chauve-souris.

J'étais sorti de la voiture avant même que Myron ait coupé le moteur. J'ai couru la hache à la main, arrachant le ruban adhésif qui entourait le périmètre. Je comprenais maintenant ce qu'il faisait là. Ce n'était pas la police qui l'avait posé.

C'était Luther.

Il voulait empêcher quiconque d'approcher.

C'était aussi la raison pour laquelle il avait mis le feu à la maison. Il ne voulait pas nous tuer, la femme chauve-souris et moi.

Il voulait nous éloigner.

— Mickey ? Où vas-tu ?

Quelqu'un avait changé le verrou de la porte du garage. J'ai brandi la hache, visé la poignée et l'ai fait exploser. Puis j'ai ouvert la trappe menant aux tunnels.

— Mickey ? a répété Myron.

La pièce secrète qui avait été murée des années plus tôt était insonorisée. C'était ce que Dylan Shaykes m'avait dit. Mais il avait précisé aussi qu'elle disposait d'une douche et de toilettes. C'est-à-dire de la plomberie.

Et qui dit plomberie dit canalisations.

Or, on ne pouvait pas insonoriser complètement les canalisations. Le bruit, même faible, même distant, pouvait toujours passer par les tuyaux.

« Les morts ne me parlent jamais », m'avait déclaré la femme chauve-souris.

Se pouvait-il qu'elle ait raison ? Oh, s'il vous plaît, s'il vous plaît, faites qu'elle ait raison…

J'ai retrouvé la porte cachée menant à la pièce secrète. Elle était en métal épais. Jamais je ne réussirais à l'ouvrir, même à coups de hache. Je me suis attaqué à la terre autour du montant.

Je pensais à Luther et au petit Ricky qui avaient été enfermés autrefois dans cette chambre forte.

J'ai imaginé Luther en train de regarder souffrir et mourir la seule personne qu'il avait jamais aimée.

D'après lui, c'était la faute de mon père.

Quelle meilleure vengeance que de l'enfermer seul là en bas pour le restant de ses jours ?

Myron avait descendu l'échelle à son tour.

— Qu'est-ce que c'est que cet endroit ? l'ai-je entendu demander.

Je n'ai pas répondu. Voyant ce que j'étais en train de faire, il a couru dans le tunnel, d'où il est revenu avec une barre en métal, et il s'est mis à cogner sur l'autre côté de la porte. Je levais la hache et frappais sans répit, jusqu'à l'épuisement. Quand j'ai eu besoin de reprendre mon souffle, Myron a saisi la hache et pris le relais.

J'ai tambouriné contre la porte.

— Ohé !

Pas de réponse.

Est-ce que je me trompais ?

J'ai récupéré la hache pendant que Myron reprenait sa barre de fer.

Enfin, après une demi-heure d'efforts, j'ai senti que la porte commençait à avoir du jeu. Ça m'a galvanisé. Ou alors, c'est à ce moment-là que j'ai perdu la tête. Je ne sais pas. Mais je me suis mis à cogner de plus en plus fort, alors que les larmes dégoulinaient sur mon visage et que je ne sentais plus mes bras.

— S'il vous plaît, s'il vous plaît, répétais-je.

Du coin de l'œil, je voyais Myron qui m'observait, se demandant sans doute s'il devait intervenir pour m'obliger à me calmer.

Il a paru sur le point de le faire, quand la lourde porte a fini par céder.

Elle a basculé dans l'espace sombre avec un grand bruit sourd. Pendant un instant, personne n'a bougé. La pièce était plongée dans le noir. Incapable de respirer, j'ai lâché la hache et fourré la main dans ma poche pour en sortir mon portable.

Au moment où j'allumais la torche, j'ai vu une silhouette se lever devant moi comme en ombre chinoise.

J'ai dirigé le faisceau lumineux vers un visage familier.

Mon cœur s'est arrêté de battre.

Le visage était barbu et émacié, mais je l'ai reconnu avant même d'entendre Myron pousser un cri.

Les jambes tremblantes, je suis entré dans la pièce et je n'ai réussi à prononcer qu'un seul mot :

— Papa.

Épilogue

Dès qu'il m'a entendu l'appeler, mon père s'est précipité vers moi. Je l'ai pris dans mes bras et je me suis effondré. Mais il m'a soutenu. Il m'a soutenu pendant un très long moment. La douleur est une drôle de chose. Elle s'efface devant l'espérance. Tandis que mon père me serrait dans ses bras, même si je savais que nous n'étions pas encore tirés d'affaire, j'ai senti ma douleur s'apaiser. J'ai senti mes plaies se refermer comme si j'avais été touché par la main d'un dieu.

Peut-être était-ce le cas. Qu'y a-t-il de plus divin que l'amour d'un parent ?

Mon père était en vie.

Au début, je me suis à peine autorisé à y croire. Je m'accrochais à lui de toutes mes forces, craignant de le lâcher. J'avais déjà vécu cette même scène tant de fois en rêve. J'avais vu mon père comme je le voyais là, je l'étreignais de plus en plus fort, puis le rêve commençait à se dissiper, et je criais : « Non, s'il te plaît, ne pars pas ! » Mais chaque fois, mon père s'évanouissait.

Au réveil, j'étais seul.

Pas cette fois. Quand enfin j'ai desserré ma prise, mon père n'avait pas disparu.

— Oh, mon Dieu ! a crié Myron en courant vers nous.

Les deux frères se sont agrippés si fort l'un à l'autre qu'ils sont tombés par terre. Myron pleurait. Nous pleurions tous les trois. Puis nous avons ri. Puis nous nous sommes remis à pleurer. Enfin, Myron a lâché mon père, sorti son téléphone et appelé mes grands-parents.

Évidemment, les pleurs sont repartis de plus belle.

Mon père, Brad Bolitar, était enfermé seul, dans l'obscurité de cette pièce secrète, depuis presque huit mois. Mais il s'en sortirait. Et si Luther était toujours en liberté, sa capture pouvait attendre.

Plus tard, lorsque je retrouverais Spoon, Ema et Rachel, et les mettrais au courant, nous fêterions cette nouvelle incroyable, bien sûr. Pas longtemps cependant.

Parce que ce n'était pas fini pour nous et que nous le savions.

Nous avions encore des questions sans réponses. Nous avions encore des enfants à sauver.

Mais j'anticipe.

Pour l'heure, alors que mon père et moi nous faisions face, une seule chose comptait.

— Il faut y aller, lui ai-je dit.

Mon père a hoché la tête. Je crois qu'il comprenait.

C'est ainsi que nous sommes entrés dans une autre chambre obscure. Il est resté près de la porte, hors de vue. Je me suis approché du lit.

— Maman ?

Levant les yeux, ma mère a vu l'expression de mon visage.

— Que se passe-t-il, mon chéri ? Qu'est-ce qui ne va pas ?

J'ai refoulé mes larmes.

— Tu te souviens quand je t'ai dit que la prochaine fois je te ramènerais papa ?

— Quoi ? Qu'est-ce que... ?

Mon père s'est alors avancé vers nous.

Fin du livre III

Composition et mise en pages
Nord Compo à Villeneuve-d'Ascq

Achevé d'imprimer en août 2015
par CPI à Barcelone

POCKET – 12, avenue d'Italie – 75627 Paris cedex 13

Dépôt légal : septembre 2015
S26230/01